世界文学の21世紀

都甲幸治

21st
Century
World
Literature

ele-king
books

世界文学の21世紀　目次

単純な脳への抵抗——まえがき

都甲幸治

いつも驚いていたい。たとえばニューヨークの地下鉄で車掌がラップ口調で行き先を告げる。まさにアメリカだな、と思っていると不意に、横に立っていた男が、誰もいない方向をむいて怒鳴り始める。何ごとだ。身がすくむ。だが僕以外の誰も反応しない。数分経ってやっと、恒例の一人芝居だったとわかる。

その短い間、なんとか事態を理解しようとして自分の中の経験や情報が総動員される。とりあえずの答えが用意されたあとでも、本質的にはこうした状態は変わらない。逆にどうして東京の地下鉄には、ミュージシャンもパフォーマンス・アーティストもいないのか。どうしてみんな黙ってスマートフォンを覗いているだけなのか。

こうした経験は映像でも書物でも起こる。たとえばNetflixで近藤麻理恵の片づけドキュメンタリーを見ていると、ロサンゼルスの他人の家で、コンマリが床に正座して祈り始めてしまう。土足が前提の国なのに。しかも自分は巫女だったから、という理由付けがされる。アメリカ人に巫女なんてわかるのか。そんな僕の疑問を無視して、周囲の人々はコンマリと一緒に祈り出す。いったいなんなんだ。

あるいは韓国のドラマ『トッケビ』で、恋人の武将が宙に消え去ると、主人公の女性は恐ろしいほどの激しさで泣き叫び続ける。とても演技とは思えない、日本のテレビドラマでは一度もお目にかかったことのない取り乱し方だ。あまりの事態に、ドラマの内容とはまったく関係なくただ見入ってしまう。なんで彼女はここまでするのか。

ナイジェリアの映画では少年が、老人を前にして地面に全身を投げだしてお辞儀する。エドワード・P・ジョーンズの短篇では、財布を盗もうとした青年の手に老婆が迷いなくナイフを突き刺す。こうした予測不能な光景は僕の中で少しずつ降り積もっていき、僕の感覚を開いていく。

もちろん理解不能な人々が理解不能な行動をしているのだと切り捨てることもできる。だが驚き、という形で心が動いたとき、そこでは確実に自分の中で何かが動いている。あるいは魅せられている。その人はどうしてそんな行動を取ったのか。どう感じているのか。その人がそんなふうになった背景には、どんな歴史があるのか。

もちろんぜんぶが理解できるとは思わない。それはただの傲慢だろう。だが十分に時間を掛ければ、徐々にでも相手に迫れるのではないか。今まで理解不能だった他者に少しでも近づけるのではないか。そしてそのとき開けてくる光景には、多くの教えが含まれているに違いない。そして、知る、ということそのものには強い喜びがある。

外国文学研究が専門の僕は、いつもそんなことを思いながら、外国語で書かれた文章と格闘してきた。けれども実はその対象は、本だけではない。生きた人、場所、映像、音楽、建築、それらすべてが、今までの人生で僕に多くを与えてくれてきた。

だからこそ、Ｐヴァインの編集者である大久保潤さんに「文学と文学以外」のものについて書く、という企画をいただいたとき、心の中で何かが動くのを感じた。学生時代は表象文化論という学科で、アートや映画について語っていた僕だが、その後は現代アメリカ文学の専門家になるために、書物以外について語ることを半ば自分に禁じてきた。けれどももうそんな制約は捨てる時期だ。

大和田俊之さん、椹木野衣さん、寺尾紗穂さん、五十嵐太郎さん、ドミニク・チェンさんといった優れた五人と対話できたのも大きかった。ヒップホップや美術、ノンフィクション、建築、メディア・アートと様々な場所で活躍している方々だが、意外なほど話が合った。たとえば、反ロマン主義という主題や、果たして学校で芸術を教えられるのか、という疑問について語り合っているうちに、ジャンルの違いを忘れてしまった。もちろん細部は異なる。けれども抽象化して考えれば、誰もが同じような問題に直面して、答えがわからないまま苦闘している。

そのことが確認できただけでも、この本を作れてよかった。

だがだからと言って、具体的なものを忘れ去ってもいい、ということにはならない。むしろその反対だ。たとえばこの本で繰り返し出てきたものとして、コントロールできない残余としての何か、があると思う。どうしてもどもってしまう自分の身体、子供たちの描く微妙に震える線、何気ない建築の中にも息づいている歴史。そうした、単純な理屈や合理性では解消できない細部、そして意識の外で時間とともに降り積もってきた名付けようのないものに耳を傾けること。

驚きとはたぶん、こうしたものとの出会いのことなんだろう。常に不意打ちとしてやってくるそうした外部にいつも開かれていたい。そして物事を早わかりしようとする自分の単純な脳に抵抗し続けたい。そのとき、文学、映像、音楽といったジャンルの違いは溶け去る。そしてただひたすら、他者と共に生きる、という強い意志だけが残る。

第1話

ジュノとコンマリ

　こないだジュノ・ディアスさんと夕食会をした。どこか、というと全然アメリカではなく、東京の普通のレストランである。『オスカー・ワオの短く凄まじい人生』（新潮社）を読んだ人すべてがわかるように、ジュノさん自身が日本オタクで友達も多いので、けっこう日本に来ているらしい。

　パートナーのマージョリー・リュウさんも一緒だった。すでに多くの著作がある彼女は二〇一七年、グラフィック・ノベル『モンストレス』（誠文堂新光社）でＳＦ界を代表するヒューゴー賞を受賞し、続いて二〇一八年には女性として史上初めてアイズナー賞も獲得した。つまりは、現代アメリカ文学の真の代表者みたいなものだ。ここにピュリツァー賞受賞者のジュノさんが並ぶと、まさにキラキラカップルである。

　という感じでもなく、ジュノさんもマージョリーさんも昔からの知り合いなので、話は至って普通に進んだ。なんでも直前まで北海道旅行に行っていたそうで、ロイズのチョコレートと、焼きトウモロコシの真空パックを貰った。家に帰って食べたら美味しかったけど、あんまり国際交流という感じもしない。

　で、最近何をしている？　という話になったのだが、ジュノさんはNetflixで韓流ドラマを見るのにハマっているらしい。『シグナル』がヤバいぞ、二つの時代の刑事が、互いに知らぬまま電話で話すんだ、韓国人の考えることはすごい、なんて言って興奮している。

　僕が『トッケビ』にハマっている話をしたら、その英語題は何かと訊かれた。Devilかな、将軍が永遠に生きる精霊みたいになるやつなんだけどと言ったら、ああ、Goblinのことだろ、と言われてしまった。あの、王朝時代の朝鮮から始まるやつ。うーん、ジュノさん詳しすぎる。で、もう一つハマっているものがある、とジュノさんに言われた。コンマリって知ってる？ああ、近藤麻理恵ね、彼女の本は何冊か読んだよ。あのコンマリがさ、Netflixのドキュメンタリーに出てて、アメリカでものすごい流行ってるんだよ。そうなの、全然知らなかった。

　アメリカ人って変だよな、とジュノさんは続ける。要らないものを捨てて家を片づければすっきりと暮らせます、と言われて、そうなの？　そんなこと知らなかった、みたいな顔をして呆然としてるんだから。そんなの、人類誰でも知ってるだろ。まあ、全話見てる時点でジュノさんも同じだ、と僕は思ったけどもちろん黙っていた。

こんなことを言うぐらいだから、ジュノさんはもちろん自分のことをアメリカ人とは思っていない。五歳でドミニカ共和国からやってきて、たまたま五十歳までアメリカにいただけのドミニカ人だと思っているのである。だから会うたびに、アメリカ人ってほんと変だよな、なんて話をしている。

　こないだも、日本のビジネスホテルに泊まったら、日本人に、アメリカから来たなら本当に狭いって思ったでしょ、なんて言われた話をしていた。狭いわけないだろう。おれがドミニカでどんなに小さい家に住んでたか知ってるか？　第三世界出身者ってのは強いもんなんだよ。

　さて、家に帰るとどうしてもコンマリの番組が気になって、Netflixに入会してしまった。探してみると、あったあった。Tidying Up with Marie Kondoだ。で見始めたら、あまりに面白くてすぐ八話全部見きってしまった。

　最初の著書『人生がときめく片付けの魔法』が出たのが二〇一〇年だから、もう十年ほど前のことだ。僕も読み切ったあと、もう着ない服を発作的に四十リットルのゴミ袋にいくつも捨てたんだった。で今も服はほとんど持っていないけど、代わりに本が部屋を埋め尽くしている。これをリバウンドと言うのだろうか。

　だからコンマリメソッドのことはなんとなく憶えていた。要は、持ち物を集めてみて、手に持ってときめくものは残し、ときめかないものは捨てる、というやつだ。ものは有用だから買ったのだろうに、それをときめき、というあやふやな感覚で判断するのがおもしろい、と当時は思った。必要でものを買っていた時代から、精神的な満足のために買う時代への変化にぴったり沿っているというか。とはいえ、突然コンマリがロサンゼルスに登場し、しかも地元のお宅に突入して、最も見られたくない部分を暴いていく、という映像は、見ていてとても不思議だった。何というか、出会うはずのないものが出会っているのだ。

どうして出会うはずもない感じがするのか。コンマリはアメリカでも、あまりにも変わらないのである。服装は日本の品の良いお嬢様風なままで、化粧の感じも変わらない。すなわち、見た目がまったくアメリカナイズされていない。もちろん少々英語はしゃべる。特に決め台詞の「I love mess!!!」は毎回出てくる。けれども複雑な説明などは、極端に優秀な通訳さんが、キレイすぎる発音で完璧にしゃべってくれる。

しかも、段取りも完璧に日本と同じである。コンマリがまず家に入ると、「家にごあいさつ」のコーナーがある。ちょうど良い場所を探して床に座り込み、目を閉じてちょっと体を前屈みにし、そのまま一分ほど祈りを捧げる。アメリカの家は土足だったりするが、そんなことコンマリは気にしない。

もともと巫女をやっていた彼女が神社を参拝するときの作法から考えたこの祈りだが、アメリカの人たちはまったく引かない。むしろ、何だか分からないけどすごい、神秘的、みたいな感じで受け入れ、それだけではなく、一緒に祈ったりする。これは日本でやるときよりも受け入れられてるんじゃないか、とまで思う。

それから本番の整理に入るのだが、これも見ていて衝撃がある。コンマリは外国の事情や歴史を考慮しないのだ。日本にいたときと同じく、服、本、書類、小物、思い出品という順番で、自分にとって現在必要なものか、そうでないものか、未来を一緒過ごしたいか、だけを頼りに選別できるよう、住人をコーチングしていく。そのとき、個人の事情によってやり方を変えることはほとんどない。

というと彼女を批判しているようだが、そうではない。メソッドが日米で完全に同じだからこそ、ドキュメンタリーを見ていると、個別の事情が手に取るように見えてくる。コンマリが物差しになることで、アメリカの多様さが浮き彫りになってくるのだ。

たとえば、第七話「赤ちゃん誕生に向けて」では、中南米系の男性がおそらくアングロ系の女性と暮らしている。赤ちゃんが生まれてくるので、ものでいっぱいの家を片づけたい。でもその先にはなかなかの困難が待ち受けている。彼はスニーカーのコレクターで二百足近く集めている。もちろん一度も履いたことがないものさえある。どうしてこんなに集めてしまったのか。

理由は彼の幼少期にあった。ベネズエラから親と移民してきた彼は、とても貧しい少年時代を送った。だから、父親が失業していた時代に買ってくれた上着は、大切すぎてどうしても捨てられない。スニーカーだってそうだ。他の家の子はかっこいいスニーカーを履いていたのに、自分はどうしても買ってもらえなかった。そして就職してお金が自由になった瞬間から、彼は延々とスニーカーを集めていたのだ。言い換えれば、あの頃の自分のために買っていたのである。

だがもちろんコンマリは容赦しない。この中から、今のあなたがときめくものだけを残してください、と彼に言い放つ。そしてとうとう彼は、百足を手放すことを決意するのだ。コンマリの更なる容赦のなさが際立ったのが、古い郵便受けのシーンだ。中南米系移民にとって、ちゃんとした家を自分で買うというのはとても大きなことなんだよ。買ったときに付いていた郵便受けは、だから絶対に捨てられないんだ、と男性は言う。

するとコンマリは言うのだ。今この郵便受けを持って、あなたはときめきますか。未来でも一緒にいたいですか。しばらく黙り込んだ彼は、ついに郵便受けを処分する、と言ってしまう。今使っているきれいな郵便受けのほうがよっぽどときめくからね、と。このシーンを見ていて、なぜだか僕は泣きそうになった。ねえ、一回ぐらいはコンマリに抵抗してみようよ。たとえときめかなくても、人生には大事なものがあるんじゃないのかい。

同様のことは第六話「ガラクタとの決別」で、パキスタン系女性とアングロ系白人男性のカップルの家でも起こる。すべてを捨てたいと思っている男性に対して、女性は子どもが成長する間に使ったほぼすべてを取っておきたいと言い張る。なぜか。おそらく、彼女も移民二世として貧しい幼少期を送り、まだ使えるものは捨てるな、という東洋風のモッタイナイ精神を叩き込まれて育ったのではないか。

それがうかがえるのが、彼女がふと漏らした一言、「このおもちゃはとっておいて、私が遊ぶから」である。彼女はちょっとしたユーモアのつもりで言っていたのだろうが、僕の心にはグッと刺さってしまった。大人になった今も、おもちゃを前にすると彼女は子供時代に戻って、本当に遊んでいるのではないか。

けれどもそんな彼女の過去を、合理主義的な夫は理解しない。彼女の異様なまでに上手い英語も、移民が同化するための必死の努力から来ているとは思わず、単に当たり前に受け止めている。だから妻を単に片づけられない人と責め立てるばかりなのだ。

コンマリのドキュメンタリーを見ていると、本当に国際化するものとは何か、という点で僕らは誤解ばかりしていることがよくわかる。コンマリは特にアメリカに合わせないし、大して英語も喋らない。現地の歴史や文化もほとんど考慮しない。けれども、彼女が考え抜いたメソッドは、不要品に囲まれた先進国の人々にはあまりにドンピシャなので、凄まじい勢いで受け入れられる。

もちろん、コンマリと彼女にコーチされる家族は、良い具合に誤解し合っている。というか、夫婦ですら文化の違いを乗り越えられていない。それでも、ものを通して自分と向き合う、というコンマリメソッドは、奇妙なほど効果的だ。

第2話

韓流のアメリカ

いきなりの韓流ブームである。ついに僕のところにも来た。いやあ、こんな日が来るとは思わなかった。きっかけはAmazon Fire TV Stick購入で、まあなんとなく、テレビにも飽きてきたし、Amazon Primeでいろいろ無料で見られるみたいだし、ちょっと挑戦してみるか、という低いテンションでのオンデマンドデビューである。やることはと言えば、送られて来たスティックをテレビのＨＤＭＩ端子に挿すだけだ。

で最初に見た『トッケビ～君がくれた愛しい日々～』でいきなりハマった。次が気になって気になってしょうがなくなった。何がそんなにおもしろかったのか、という話だが、今思えば、アメリカとの距離感だと思う。

コン・ユ扮する朝鮮時代の将軍が連戦連勝して国民の期待を一身に集めるようになる。これが若き王には気に入らない。嫉妬に駆られた彼は、妻である将軍の妹を殺し、将軍も謀反の汚名を着せて殺してしまう。だが激しい無念の思いは彼を最強の鬼神であるトッケビに変化させる。そして王はひとたまりもなくやられる。

さて、千年の時が過ぎ、それでもトッケビは生き続けている。死んで塵に返るためには、胸に刺さった剣を本当に愛してくれる女性に抜いてもらわなければならないのだ。そして出会ったのが、女子高生のチ・ウンタク（キム・ゴウン）だ。だが彼女には弱点があった。

母親のお腹の中にいたとき交通事故に遭い、トッケビの気紛れで助けてもらう。だがそんなことが横行しては世界のつじつまが合わなくなる、という理由で死神（イ・ドンウク）に付け狙われる。果たして彼女は無事トッケビの剣を抜けるのか、あるいは彼女のほうが先に死後の世界に連れて行かれてしまうのか。

というふうに初期設定を書いただけでもうおもしろい。しかも、いろんな文化が入り交じっていて、現代の世界で人がおもしろいと思うものは何でも取り入れてやろうという意欲に満ちている。トッケビという存在自体は朝鮮半島古来のものだが、やたらとイケメンで強い姿は、ゲームに出てくる武将のようだ。

そしてチ・ウンタクが制服姿で高校に通っている様子は、まるで日本の女子高生である。とはいえ、パーカーのフードを被っていたりするところは、ちょっとアメリカのラッパー感がある。死後の世界があるが何度も輪廻し再生する、という設定はもちろん、インドから東アジアにかけての古典的な思想だ。

しかも、行き違いからトッケビと死神が豪邸に同居するようになる。最初は敵同士だった二人も、やがて互いに奇妙な友情を抱くようになる。このイケメン同士のツンデレ・イチャイチャ感が、実にＢＬっぽい。いや、ＢＬについてはよく知らないんですけど、たぶんこんな感じなのかなあ、と思わせてくれる。

セリフは洒落ていて、仕草もハリウッド映画に近い。しかも戦闘シーンなど、たっぷりお金をかけた、という感じのＣＧが多用されている。のわりには、いかにも韓国っぽいバラードが添えられるのも不思議だ。

要するに、アメリカ、日本、韓国のおもしろいところをグッと集めて、たくさんお金をかけて、すごく現代的な感覚で作ってみました、という感じだ。そして僕は『トッケビ』を見て、驚くほど新しい、と思ってしまった。

たとえて言えば、もしバブル崩壊もなく日本の経済的好調が続き、ちゃんと文化が外国、とりわけアメリカに開かれていて、しかも若手の才能をきちんと引き揚げるシステムが機能していたらあり得たかも知れないもう一つの日本が、突然ヌッと目の前に姿を現した、というふうである。こりゃあみんな韓流ドラマを見るよな、と思わされてしまった。

それまで僕は韓流を、『冬のソナタ』みたいな、面白いけど泥臭い、ちょっと感覚的には古めのエンタメだと思い込んでいた。だから興味はあったのだが、何となく見ないで来てしまったのである。だがそうした僕の考えのほうが、実際の韓流よりよほど古いことが『トッケビ』で証明されてしまった。

　続いてFire TV StickにAbema TVのアプリも入れて、韓国の番組をいろいろ見てみた。中でも気に入ったのはバラエティの『三食ごはん』である。『イ・サン』などの歴史大河ドラマで主演を務めているイ・ソジンが、ソウルから突然田舎に送られる。そこで彼を待っていたのは古い農家だった。

　電気はあるがガスはない。だから料理は、庭に煉瓦のかまどを作ってやるしかない。トイレはもちろん汲み取り式で、ヤギと犬と鶏がいる。野菜が育つ庭の向こうは広大な畑で、大量のトウキビが植わっている。番組終了までに、このトウキビを全部刈り取らなきゃならない。

　これで一人ではさすがに過酷すぎるので、パートナーとして２ＰＭのテギョンが参加する。だがそもそも二人は料理もできないし、田舎暮らしの経験もない。それなのに、韓国料理を中心に毎日三食自炊することになる。そこに何人もゲストがやって来る。手伝ってくれる人もいるけど、あくまでもてなしを要求する人もいる。

　というとまるでＴＯＫＩＯの『ダッシュ村』だけど、僕が得た感触はむしろ大泉洋の『水曜どうでしょう』だ。田舎は嫌いだ、こんな番組はコケる、とボヤき続けるソジンさんに、ナ・ヨンソクＰＤ（プロデューサー・ディレクター）がガンガン突っ込む。我を忘れて画面の中に入ってくる。ゲストに無理難題を突きつけながら、制作側も出演して、番組がそのままメイキングになっている。

とはいえ、日本の番組のようにルールはルールとして、出演者や制作側がきっちり守るという感覚はない。街に買い物に行ったソジンさんは勝手な買い物をしてきてしまうし、ナＰＤとの交渉次第では許されたりする。調子に乗ったソジンさんはゲストに大量のお土産を要求し、働かないと怒りだす。けっこうカオスな番組作りなのに和気あいあいとしているのがいい。

僕が興味を持ったのは、ソジンさんとテギョンのアメリカとの近さだ。いつもＫＩＳＳなどのロック系Ｔシャツを着ているソジンさんは高校大学とアメリカで過ごし、間抜けなことをしでかすと、本当にニューヨーク大卒か？　とスタッフに突っ込まれる。十歳から七年間ボストン近郊で過ごし、帰国子女というよりほぼ移民のテギョンは、アメリカでの青春についてちょくちょく語る。

だから番組は、極端にアメリカナイズされた二人の男性が、韓国の田舎で韓国料理の基礎を徹底的に身につけていく、という過程となる。でも考えてみれば僕らだって、田舎暮らしはしたことないし、日本料理の基礎なんてわかっちゃいない。なので二人の姿は、不思議なほど身近に感じられる。

彼らはどれくらいアメリカナイズされているのか。朝食では目玉焼きを食べたがり、サニーサイドアップ（片面焼き）かターンオーバー（両面焼き）か、なんて話している。食感についてもとっさに韓国語が出てこず、crispyだ、と完全に英語発音で呟く。そしてヤギにも犬にも英語の名前を付ける。

シーズン2から、田舎育ちのキム・グァンギュさんが参加すると対比がより明確になる。彼はペットの名前がどうしても覚えられなくて四苦八苦するのだ。それでも、最初は二人、途中から三人が、過酷な料理修業の末に、一通り料理が作れるようになるのには感動する。人間って何歳からでも成長できるんだな、と思う。

彼らが魅力的なのは、とにかく生き物としてとても元気なことだ。よく動き、笑い、時に踊り出し、とめどなくしゃべり、よく食べる。いつも笑顔がある。こんなに元気な人たちが出てくる日本のバラエティってあるだろうか、と思ってしまう。

二日酔いみたいな疲れた顔でひな壇に並んだ芸人たちが、高度な言葉の技術とチームワークを用いて笑いを作る、というやり方では決して達成できないおもしろさが『三食ごはん』にはある。結局は、思ったときに思ったことを言う、それが最も説得力があるのだ。笑わそうとしていないときがいちばん笑える、という逆説に僕は考え込んでしまう。

さて、ドラマ、バラエティと来たら、もちろん音楽番組だ。『PRODUCE 48』がとにかく良かった。韓国の各プロダクションの練習生と日本のＡＫＢグループのメンバーたちが集まり、何段階もの試練を経てプロデビューする。もちろん集まった九十六人全員が残れるわけもなく、最終的には十二人にまで絞られる。

正直ＡＫＢやアイドルにはそこまで興味がなかったんだけど、これもグイグイ引き込まれて最後まで見た。そして再び日本について深く考えさせられた。最初にクラス分けとして歌と踊りの審査があるのだが、そこでの日韓のあり方が違いすぎる。

もちろんＡＫＢのメンバーは例の、良くも悪くも素人ががんばった感じの歌に、学芸会よりは練習した、というふうな、言ってみれば味のある芸を披露する。それはそれで日本のアイドルの歴史においては伝統的な姿だ。だが韓国の練習生たちは違う。長い人で十年近く鍛え上げた歌と踊りはまさしく、アメリカのＲ＆Ｂやヒップホップ的で、完成度も桁違いだ。

審査は韓国側のトレーナーたちがするということもあり、日本人の多くが最低のＦランクスタートになってしまう。とそれだけだと詰まらないのだが、そこからがすごい。彼女たちは持ち前の根性で歌と踊りの力を急速に上げ、韓国の研究生たちを時に凌駕する評価を得だすのだ。

もちろん、ただ本人のがんばりだけが理由ではない。日韓混合のチームを複数作り、課題曲に合わせてじっくりと練習するのだが、そのとき韓国の練習生たちがじっくりと日本人メンバーに付き合い、励ましてくれる。

彼女たちは韓国語の発音から始まり、踊り、歌のコツなどを惜しげもなく教える。その様子には相手が自分のライバルになるかもしれない、なんて懸念はみじんもない。その無私の姿は感動的だった。気づけば、国籍関係なく、良い言葉を掛け合う共同体ができていたのだ。

国の枠を超えて個人で向き合えば、ここまで深く付き合えるんだ。この『PRODUCE 48』という番組は、日韓の歴史上、画期的な意味があるんじゃないかと思う。そんな感謝も込めて、今僕は車を運転しながら、彼女たちが教えてくれたBlack Pinkを聞いている。

ああ、韓国のテレビ番組について熱く語っていたら、文学の話をするスペースがなくなってしまった。というわけで、次回は韓国文学についてです。すいません。

第3話

韓国文学の恵み

僕が韓国文学と出会ったのはわりと最近だ。二〇一五年にパク・ミンギュの短編集『カステラ』（クレイン）が第一回の日本翻訳大賞を獲って、その年の年末になんとなく読んでみたのだった。

一読して驚いた。というか、ものすごく驚いた。ほとんど、未知の大陸がいきなり開けた！みたいな感じだったのだ。日本のすぐ隣に、村上春樹や高橋源一郎といった日本現代文学の一番いいところを踏まえた上で、オリジナルに展開させた書き手がいたなんて。韓国ってなんなんだ？

僕が特に好きだったのは「コリアン・スタンダーズ」という短編だ。学生運動の闘士だった先輩を後輩が訪ねていく。政治の季節は終わり、世の中は自分の肩書きをよくすることしか考えていない人でいっぱいだ。でも不器用な先輩は変われない。国会議員にならないか、という誘いも断り、田舎で有機農業をやっている。

けれども先輩は新たな苦境に直面していた。先輩の農場を度々ＵＦＯが襲撃し、その度に大量の農作物を焼き払うのだ。なぜ宇宙人がそんなことをするのかわからない。こんなこともうやめたら、と後輩が言うと、先輩はこう答える。「だけどな、ソクヒョン。誰か一人は、／止揚し続けていかなくてはならないだろ」（一九二ページ）。

　止揚ってどういうことなんだろう？　でも自分だけは踏みとどまるつもりだ、という先輩の気持ちは伝わってくる。後輩はどう言葉をかければいいかわからなくて、宇宙人による農場襲撃を目の当たりにしても、「ここ……蚊が多いですよ」（一九六ページ）としか言えない。

　果たしてパク・ミンギュはふざけてるのか？　だがその割には、彼の筆致はシリアスで叙情的だ。けれどただ真面目に書いているのかと言われれば、奇妙なユーモアが文章を貫いていて、それだけとも思えない。要するに、彼がものすごく優れた書き手だ、ということだけは伝わってくる。

　こうした作家の作品にどうして今までアクセスできなかったのか。そして韓国には、他にもどれだけ優れた作家がいるのか。韓国語力ゼロの僕は、次の翻訳を待ちながら、英訳を探し、なおかつカタツムリよりも遅い歩みで韓国語を学び始めるしかなかった。

　そしてそのとき頼りになったのは、もちろん、『カステラ』の訳者の一人である斎藤真理子さんの仕事だった。だから二〇一七年に福岡のＴＳＵＴＡＹＡでトークイベントをしたときは嬉しかった。韓国文学という豊かな世界を僕の前に開いてくれた恩人に訊きたいことは多い。たとえば、どうして韓国語の勉強を始めたのか。韓国文学の翻訳を始めるまで何をしていたのか。

新潟県出身で、高名な批評家である斎藤美奈子さんの妹でもある彼女が韓国語を学び始めた八〇年代は、およそ今とは違っていた。Ｋ-ＰＯＰや韓流のドラマが大流行の今、韓国語を学ぶのはわりとよくある、かっこいいことだ。でも当時韓国語を学んでいたのは主に、植民地支配や経済格差など、社会的な主題に関心を持つ人々だった。明治大学の考古学科にいた彼女もその一人で、大学のサークルで韓国語を学び始めた。

やがて九一年に韓国に留学し、滞在中になんと韓国語で詩集まで出してしまう。自分の拙い韓国語を韓国の人たちがおもしろがってくれただけ、なんて言っていたけど、とにかくすごい。帰国後はライターなどをしながら沖縄でも数年過ごした。そしてパク・ミンギュ『カステラ』の共訳が日本翻訳大賞を受賞し、がぜん注目を集めたのは二〇一五年だから、二十年以上も後である。

それからは破竹の勢いだ。二、三ヶ月おきには翻訳書を出し、雑誌に書き、インタビューを受ける。彼女の訳書が一般にも広く読まれるようになったのは二〇一八年、チョ・ナムジュ『82年生まれ、キム・ジヨン』（筑摩書房）からだろう。これをきっかけに韓国フェミニズムも現在、日本で大流行している。

韓国現代文学なんて何があるの？　という状況から、とりあえず読むでしょう、あるいは読まなくても書名ぐらいは知っている、というところまで持っていった斎藤さんは本当にすごい。

このときのイベント用に僕が読んでいったのが、チョ・セヒ『こびとが打ち上げた小さなボール』（河出書房新社）だった。劣悪な環境におかれた労働者たちが低賃金でめちゃくちゃに働かされるという情況を、幻想も交えて描いた重厚な作品で、現代版のプロレタリア文学、という感じだった。

正直僕はパク・ミンギュのお洒落な作品を読んで韓国文学のイメージを作っていたので面食らった。けれども斎藤さんとこの作品についても話しているうちに、韓国文学の読み方が変わっていった。

まず、同じ日本の元植民地でも、台湾と韓国はまったく文化が違う、と斎藤さんは言う。台湾の映画を見ていても分かるが、主人公が良いことを言おうとすると、まあまあ、と周囲の人々が止める、という感じがある。でも韓国は全然違う。自分はこれが正しいと思っている、ということを、時にクドいまでに話し続ける。

一九五〇年代に朝鮮戦争があったというのも重要だ、と斎藤さんは言った。たった半世紀程前に、全土が焼き尽くされるほどの内戦が朝鮮半島を覆い尽くした。そのときに噴出した暴力はすさまじいものだった。そしてそうした暴力の記憶は薄れることなくまだ、韓国の想像力の中に生き続けている。だからこそ、ドラマや小説で、どうして、と思うほど暴力が出てくるのだ。

こうした斎藤さんの話を聞いていると、韓国の思想的な流れや政治・経済の歴史が、現代の韓国文学にも息づいている、ということが分かってきた。つまりは、お洒落なパク・ミンギュと社会派のチョ・セヒは対立してはいないのだ。パク・ミンギュの作品の中にも政治的な問いはあるし、チョ・セヒの作品にも反リアリズムな次元は存在する。

むしろこうした二つの流れを分けられる、と思い込みがちな自分の小説観こそが、現代の日本に限定されたものでしかないのかな、と思った。そしてだからこそ、韓国文学の中にある真摯な問いに、僕は強烈な新しさを感じたのかもしれない。

さて、パク・ミンギュには他にも魅力的な作品がたくさんある。僕が長編で好きなのは『三美スーパースターズ最後のファンクラブ』（晶文社）だ。主人公が子どもの頃愛していた三美スーパースターズはとにかく変わった球団だった。なにしろものすごく弱いのだ。三美の選手は「打ちにくいボールは打たない、捕りにくいボールは捕らない」（二九五ページ）というマイペースな態度を貫く。

弱肉強食なプロフェッショナルの世界の中で、彼らは自分の気持ちよさを最優先する、というアマチュアの草野球みたいな態度を崩さない。だからこそ、彼らは女性たちのお婿さん候補としても落第で、本業の野球では万年最下位を続ける。そしてついには消滅してしまう。

さて今、大人になって就職した主人公は仕事に疲れ切っている。いくらがんばってもきりがない。そのうち妻は鬱病になる。自分もいつ倒れるかしれない。どうしてこうなってしまったのか。幸せになるために働いているはずなのに、どうしてそのせいで肝心の幸せが遠のいていくばかりなのか。

そして彼は子どものころ好きだった三美スーパースターズを思いだす。友人のソンフンは言う。「三美は俺たちにとってイエス・キリストみたいな存在だ。そして三美は、プロの世界に適応できなかったすべてのアマチュアを代表してあのむごたらしい苦難と迫害を経験したんだ。今や人々を迫害するのは銃や剣じゃない、プロなんだ！　そんな意味で、もしも今の世を救うためにイエスが再臨するなら、それは明らかに三美スーパースターズみたいな姿をしているはずだと俺は思う」（二八五ページ）。

何でもいいから成功しろ、金を儲けろ、というプロの世界において、三美は弱さに徹した、聖なる存在だった。そして今、厳しい社会の中で自分の弱さを実感した主人公の元に、三美が現代のキリストとして降臨する。そして彼はその福音に従い会社を辞める。彼は思う。「誰も死ななかった。死んだのは、会社を辞めたら死ぬと思っていた過去の自分だけだった」（三〇七ページ）。

パク・ミンギュはこの作品を、一九九七年のアジア通貨危機、そしてＩＭＦによる韓国経済救済を踏まえて書いたと言う。そのころ会社員をしていた彼は、オフィスから見える公園に集まっている人々を毎日眺めていた。会社を首になったことを家族に言えない彼らは、毎日朝公園に集まり、夕方まで暇を潰して帰宅していたのだ。

あの人たちの気持ちを書きたい。そう思ったパク・ミンギュはなんと、作家を目指して会社を辞めてしまう。それまで大学で詩を学んだだけで、小説の書き方なんてまったく知らなかったのに。それでも彼は短編集『カステラ』や長編『三美スーパースターズ最後のファンクラブ』を書き上げ、現代韓国を代表する作家になってしまうのだからすごい。

パク・ミンギュの魅力は、弱い者に徹底して寄り添うところだ。それはいじめられっ子とその卓球による救済（！）を描いた『ピンポン』（白水社）も、まるで村上春樹『ノルウェイの森』のような設定で醜い女性の恋を扱った『亡き王女のためのパヴァーヌ』（クオン）も変わらない。

強く、美しく、生まれつき有利な立場にいる者が勝利をおさめるこの不平等な世界で、彼の作品は弱く、ときに醜く、貧しい者たちの側にいる。そして彼らが日々の暮らしの中でふっと見つけた美や喜びを丁寧に掬い上げていく。

こうしたことこそ、もともと文学が担ってきた役割なのではないか。なにより彼の作品に登場する不器用な人々とともにいると、自分が肯定されたという気になる。だからこそ、文学はまだ終わっていないし、小説は永遠だと思えるのだ。そのことを僕は韓国文学に教えてもらった。

大和田俊之＋
都甲幸治

ヒップホップと反ロマン主義

大和田俊之
一九七〇年生まれ。慶應義塾大学法学部教授。専攻はアメリカ文学、ポピュラー音楽研究。著書に『アメリカ音楽史』（講談社／第三十三回サントリー学芸賞受賞）、長谷川町蔵との共著『文化系のためのヒップホップ入門３』編著『ポップ・ミュージックを語る10の視点』（アルテスパブリッシング）など。

文学以外の分野では現在何が起きているのか。文学と共振するようなことはあるのか。様々な分野の方たちと、神保町の「神保町ブックセンター」にて五回にわたり対談イベントを行い、語り合いました。第一回はアメリカ文学研究を経てポピュラー音楽の研究者として活躍している大和田俊之さんをお招きし、ヒップホップについてのお話をお聞きし、文化の翻訳というテーマへと広がっていきました。

（二〇一八年十二月二十一日）

音楽研究と文学研究

都甲　まず自己紹介しないと始まらないですからね。都甲幸治と申します。早稲田大学でアメリカ文学を中心としていろいろ教えています。あとは翻訳もやってます。

大和田　大和田俊之といいます。僕もかつては文学研究をしていました。

都甲　そうそう、メルヴィル研究だったんだよね。

大和田　そうなんです。僕はハーマン・メルヴィルで博士号を取ってるんですよ。自分でも忘れそうになってるんですけど。

都甲　十年前に、メルヴィル全集を見ると吐きそうになるって言ってたよね。そのあと音楽研究に行く。何があったのか（笑）。

大和田　つらかったんですよ、博士論文が。

都甲　気づいたら音楽研究の人になっていた。『アメリカ音楽史』は本当に名著ですけれども。

大和田　ありがとうございます。

都甲　あと、『文化系のためのヒップホップ入門1』『2』[*1]を読んで、『ラップは何を映しているのか』を半分くらいまで頑張って読みました。おもしろい！　めちゃめちゃおもしろいよ、これ。情報量が半端ない。自分が知ってるヒップホップの知識は大和田さんの一万分の一くらいしかないから、わからないことも多いんだけど、二一世紀の、ここ二〇年くらいのアメリカ文学との共通点を実はこっそり感じました。

大和田　それはあると思います。一応、系譜的に言うと、都甲さんは柴田元幸さんのお弟子さんなんですね。

都甲　それ言う？

大和田　だってそうでしょ。で、僕は巽孝之先生が指導教官です。それで、柴田さんと巽孝之先生というのは、ご存じの方もいるかもしれませんが、わりと同じ時期に、「ユリイカ」とか、「現代思想」といった雑誌に書かれていた。で、僕は、経済学部だったんですよ、学部は。

都甲　ああ、そうか。

大和田　いわゆるプロパーな文学研究じゃない、商業誌に書かれた文章じゃないと、接する機会がなかった。そのときにそういう媒体に積極的に書かれていたのが柴田さんであり巽先生と、あとは佐藤良明さんとかですね。完全に僕たちはあの方々のチルドレンなんですよ。世代的にね。

都甲　そうだね。

大和田　それで、彼らは音楽への愛を隠さなかったでしょ。佐藤さんはもちろん、柴田さんもよく音楽のエッセイを書いていたし、巽先生はプログレの本を書いてる。だから僕は、音楽と文学、両方できるんだなと、あの世代の先生方を見て思ったわけ。それで、僕も『アメリカ音楽史』を出したんです。出した時に、巽先生に「これ、大学院でやったことを音楽に当てはめただけじゃないか」って言われたの。ちょっとイラッと来たんだけど（笑）、冷静になって考えるとあたってるんですよ。

都甲　あ、そう？

大和田　僕たちが大学院の頃に、カルチュラル・スタディーズとか、新歴史主義とか盛り上がっていて。アメリカ文学を研究するにあたって、文化の視点で見ていこうという流れが出てきたじゃないですか。

都甲　人種・階級・ジェンダー。

大和田　そうそう。昔ながらの作品精読もあったんだけど、そうじゃなくていろんな理論が出てきて、その理論に反発する人もいた。どちらかというと柴田さんはあまり理論は使わない人という印象があって、巽先生はわりと理論派。おそらく本人たちもあえて棲み分けていたと思うんだけど。だから確かに、僕は大学院では批評理論をかなり読まされたんですね。

都甲　ああ、なるほどね。

大和田　音楽について書いているけど、音楽学者としてトレーニングを受けたわけではない。文学研究で行われていた文化研究の手法を用いてアメリカの音楽を見たら、この本になったというか。だから僕はいまだに、メルヴィルのことは忘れてしまったけど（笑）、文学研究しかできないと思っています。研究者のアイデンティティとしては。

都甲　文学研究をまだ続けてると。

日本語ラップと翻訳

大和田　さすがに「文学研究」というと怒られそうなので、「文化研究」あたりで許してもらおうかと。都甲さんが翻訳しているような作家たちも片隅で追ってますよ。「おお、今こういう人たちが出てきてるのか」みたいな。そもそも柴田さんって僕らが中学から高校くらいの頃に彗星のごとく現れたでしょ。

都甲　スターだよね。

大和田　「柴田元幸（訳）」で買っていたんですよ。作家名ではなくて、翻訳者の名前で買うって少なくとも僕らの世代では柴田さんが初めてだった。

すごいことでしたよ。で、都甲さんが出てきたときに、柴田元幸的でない作家を選ぶって宣言してたでしょ。

都甲　そんなこと言ってた?

大和田　言ってました。エスニック・マイノリティとか女性の作家をちゃんと取り上げなければいけないんだと言ってたのをはっきり覚えてる。柴田さんはどちらかというと古典的な文学信仰みたいなところがあった。文学的に、いい作品を信じているというか。マイノリティの作家だからいいというわけではないとよくエッセイにも書かれていたし、僕もそういうのを読んでいたから、都甲さんの発言はすごいなと思った。二一世紀になって、新しい作家たちを都甲さんが紹介してくれたのは、そういう背景があったからだと思います。

都甲　すごく気分良くなったから、もうここで今日は解散しようかな（笑）。いやいや、早くヒップホップの話しないと怒られちゃうよ。

大和田　ヒップホップに興味ある人いるんですかね。ヒップホップと文学って意外と食い合わせ悪い……のかな。ジャンルとしてヒップホップが好きな人ってどのくらいいるんですかね?（多数の挙手）文学もヒップホップもどっちも好きということですね。皆さんヘッズですね。了解!

都甲　日本語のラップを発明した頃の人たちは、ラップとは英語でやらなきゃいけない、英語の韻の踏み方とか勉強しなきゃいけないという風潮があって、でもやっぱりネイティヴじゃないからあんまり書けない。だったら日本語でやってもいいんじゃないの?と気づいて、そこから韻の踏み方のテクニックや載せ方を開発していくという話があったりするよね。アメリカ文学を翻訳するときにも、そのまま訳してもよくわからないから、日本語でこういうことなんだよって説明を書いたりする。単に意味やプロットだけではなく、ノリみたいな、リズムやある種の雰囲気やカッコよさを翻訳で出そうとして。でも、英語は地球の裏側の言語だから、なかなか難しいところを頑張ってやるわけじゃない。

大和田　すごいですよね。

都甲　翻訳で、まだ見たことのない日本語やカッコよさを作ろうというのが、ヒップホップと自分のやってることの共通点だと勝手に思ってます。

大和田　まったくその通りだと思いますよ。ヒップホップの前に日本語ロック論争というのが一九七〇年くらいにあって。

都甲　はっぴいえんどとかですね。

大和田　あれも、英語派と日本語派がいた。内田裕也とか、ロックは英語でやるべきだという人たちがいて。

都甲　だから内田裕也の都知事選の演説が英語だったのか。

大和田　いつの話（笑）？　それに対してはっぴいえんどの松本隆さんは、のちに松田聖子の歌詞を書いたりしていますが、ロックの日本語化を主張した。では日本語派の人たちがナショナリスティックだったかというとそうではなかった。つまり、松本隆に代表される、日本語派の人たちのほうがアメリカのマニアックな音楽をよく聴いていて、それをどう日本のメロディに乗せるのか実験していたんですよ。日本人はずっと英語ができないと言われてきましたよね。英語ができないと言われるたびに我々みたいな仕事の人たちが批判されるわけですよ。

都甲　サボってんじゃねえよと。

ローカライズで生まれる変なもの

大和田　まず第一に、日本語と英語って言語学的にかなり遠いんですよ。最近都甲さんはＫ-ＰＯＰを聴いているそうですが、僕もＫ-ＰＯＰしか聴いてないんです。ＴＷＩＣＥには三人日本人がいるでしょ。その三人は、韓国のバラエティ番組で韓国語を流暢にしゃべっているんですよ。韓国に行って二、三年とかで。そのくらいは日本人でもできる。だけど、英語でそれは単純にしんどいわけですよ。

都甲　本当だよね。

大和田　言語学的に言語同士の距離というのは実際にある。朝鮮語と日本語は比較的近い。翻訳は日本語をどれだけ豊かにしてきたかという点でいうと、作品の意味だけじゃなく、リズムも大事ですよね。そこで初期のロックミュージシャンだけでなく日本語ヒップホップの人たちも当然それにはぶつかった。日本語は語尾のパターンが限られているから、体言止めにするとヴァリエーションができると。体言止めしないと、全部ですます調になっちゃう。

都甲　「Ｋダブシャインです」とかね（笑）。

大和田　南部のラップで全部最後に「ＹＡ」とつけて韻を踏んでいるように聞こえるというのがあるんですけど（笑）。そういう手抜きではなくて、ちゃんとクリエイティヴに韻を踏むということに、日本語ラップの人たちは技術を積み重ねてきた。ただ、ロックの時代からずっとそういう翻訳作業をミュージシャンがやっていたのが、最近のＪ-ＰＯＰはやらなくなったでしょ。参照項がほとんどドメスティックな音楽になってしまった。ヒップホップはまだジャンルとしてやっているんですよ。それでいうと、Ｋ-ＰＯＰは黒人音楽のローカライゼーションを韓国の音楽シーンでやっている。

　日本語ラップをみなさんどれくらいご存じかわからないですけど、JP THE WAVYというラッパーが最近僕はすごく好きで、あの人が欅坂くらい売れて欲しいとずっと思っています。オリコンで一位をとるくらい。つまり、洋楽のローカライゼーションを日本のメジャーシーンはあまりやらなくなってしまった。

ローカライゼーションって翻訳でしょ。翻訳をするときにそれこそ都甲さんの言葉で言うと「偽アメリカ文学」というものができるわけですよ。でも偽であることの輝きみたいなことをこの国はずっとやってきたはずじゃないですか。
　その「偽アメリカ音楽」としての日本のポピュラー音楽を、アンダーグラウンドでヒップホップはかろうじて受け継いでいる。だからＡＫＢとか欅坂もとりあえず二、三人ラッパー担当を入れて、そこから話を始めませんか、みたいな感じですよ。

都甲　本当だよね。

大和田　Ｋ-ＰＯＰのアイドルには必ずラップ担当がいる。それは本当に翻訳行為ですよね。

都甲　YouTubeでＢＴＳ（防弾少年団）の「ＤＮＡ」とか「FAKE LOVE」とか見て喜んでるんです。この人たちは自分の好きなふたつの国、ふたつの文化の距離を本気で乗り越えようとした結果、ある種狂ったところまで行っている。

大和田　誠実にローカライズすればするほど、変なものができるんですよ。その変なもののおもしろさで日本文化はもっていたはずなんですが、その参照元が日本のものだけになったときに果たしてそれはおもしろくなるのか。

都甲　問題は誰にとっておもしろくなるのかで、我々はやっぱり変態じゃん。常に複数の文化とか複数のものが出会って変なものができるのが大好きな人たちだから。

ヨーロッパ、アメリカ、日本の距離

大和田　学生とかうざいと思うだろうね。「洋楽聴けとか、うるせー」って思っていると思いますよ（笑）。どうですか、そちらの学生さんは。

都甲　授業でどういうことをやっているかというと、アメリカ文学で名場面があるでしょう、いろんな作家、作品の。その名場面を、取り憑かれた気持ちになって渾身で演じたりしてますね。たと

えば、『グレート・ギャツビー』でデイジーが素敵なシャツの山に突っ込んでいきながら、「こんな美しいものを見たのは初めて！」とかいうようなシーンを延々とやる。すると学生には電車の中に怖い人がいた、みたいな顔で見られる（笑）。でもやめない。大人の本気を見せれば、だんだん相手も、ひょっとしてこれおもしろいのかもしれない、という気になってくるから。

大和田　すごい。率先してやるのは偉いよね。

都甲　文学に取り憑かれて好きでしょうがない人というキャラクターになるんです。今日もアリス・マンローで母と娘がものすごく仲良いフリをしながらお互い憎みあうという短編を読んでいたんだけど、お母さんと娘を全部ひとりでやるわけ。そうすると特に女子が、自分の中の気持ちが湧き上がってきちゃって（笑）お母さんになったり娘になったりする俺を見て、女子が高まっている。

大和田　それは確かに最近の学生の真実をつかんでいるよね。率先して教員がバカにならないとついてこない。

都甲　ノーベル賞を取ったから読みましょうと言っても、「難しいやつには興味がないので大丈夫です」って言うんです。大丈夫ですの使い方間違ってるんじゃないの（笑）。だからそういう情報を入れないで、これすごくおもしろかったから読んでみてという感じで、押しつけがましいレコード屋の店員のポップみたいな感じで言う。何を言っているかわからないけれど熱いみたいな授業。

大和田　確かに権威とか啓蒙とか今の学生にはほとんど通じなくて、やっぱり共感と熱量なのかな。

ところで『グレート・ギャツビー』で思い出したけど、村上春樹の『騎士団長殺し』は『グレート・ギャツビー』の翻訳じゃないですか、ある意味。村上さんが『グレート・ギャツビー』が好きで好きでたまらなくて、そのコンセプトを大きく咀嚼して『騎士団長殺し』を書いたといえる。そのとき、『グレート・ギャツビー』は湾越しに女性を眺めているけれど、『騎士団長殺し』では眺めている相手が幼女なんですよ。そこが日本的だなあとしみじみ思ってしまった。

　もう少し言うと、五、六〇年代のアメリカ文学研究の定説で、アメリカ文学はヨーロッパのような成熟した恋愛が描けないというのがありますよね。大人の男女の成熟した恋愛が描けないので、『グレート・ギャツビー』のように、お城みたいな家を建ててそこからひたすら対岸を覗いているみたいな、コミュニケーション不全というか、端的に「キモい！」みたいな話が出てくるというか。

都甲　ギャツビーはデイジーと会えない三年くらいの間、ずっと彼女が新聞のゴシップ欄に出るのをスクラップしていて、それを毎晩見るのが楽しみなんだよね。

大和田　だから変態なんですよ。しかも、今度はそれがアメリカから太平洋を渡って日本に翻案されると、覗く相手が幼女で、しかも自分の子かもしれないという。村上春樹って『1Q84』のふかえりとかもそうだけど、無意識的に日本のそうしたカルチャーに踏み込むじゃない。

都甲　児童ポルノ。

大和田　言っちゃったね。その言葉だけは使わないと思っていたのに（笑）。

都甲　所持しているだけで捕まっちゃうみたいなやつだよね。

大和田　それもある種、文化の翻訳だとすれば、アメリカも別にオリジナルじゃないわけで。アメリカもヨーロッパに対する距離がある。アメリカの話に幽霊ばかり出てくるのは「人間」が描けないからってよく言われますよね。要するに「人間」はヨーロッパにしかいないわけですよ。そうするとヨーロッパから距離を取ったアメリカは幽霊の話ばかりになっちゃう。女性といっても、成熟した男女の恋愛ではなく、ずっと覗くしかないみたいな。全部翻訳なんですよ。

黒人とラテンとアメリカ

都甲　ついでにいうと、村上春樹が、また全アジアでいまのイケている文学のフォーマットになっている。たとえばパク・ミンギュという韓国の作家の『亡き王女のためのパヴァーヌ』という小説があるんだけど、完全に構造は『ノルウェイの森』。違うのは、出てくる男の子がみんなイケメンでヒロインがすごいブサイクなの。

大和田　それで成り立つんだ（笑）。

都甲　真実の美は顔じゃないということに主人公の男の子が気づいて純粋な愛を捧げて冬山に会いに行くという展開で、なんじゃこりゃと思って。

大和田　すでに『ノルウェイの森』じゃないね（笑）。

都甲　よくわかんないんだけど、めっちゃおもしろいんだよ（笑）。また韓国で独自発展を遂げて、日本文学を翻訳しながら不思議な展開をすごくしている。そういう出会いみたいなものが本当に面白い。

大和田　それでいうと、Ｋ-ＰＯＰはアメリカもそうだけど、日本も見ているわけ。ジャニーズとかも取り入れている。でもジャニーズってダンスが何十年経ってもディスコのまま変わらないでしよ。アップデートされない。ＬＤＨもちょっとずつ変わってはいるんですけど、ニュージャック・スウィングから更新されないんですよ。ボビー・ブラウンみたいな。もうちょっと新しいダンスが出てきていると思うんですけど、という。その点、韓国は西海岸の新しいダンスを追っているんですよね。

都甲　最近はAbemaTVでヒップホップのチャンネルと韓国の歌謡チャンネルを交互に観ていて。

大和田　ヒップホップも観ているの？　最近は誰を聴いてるの？

都甲　BAD HOPとかＫＯＨＨとかかな、アメリカ、日本、韓国が混ざりながら不思議な感じになっているんですよね。

大和田　日本もヒップホップとＫ-ＰＯＰのシーンはサウンドのフォーマットが共通してるといえるので、逆にそのズレが見ているとおもしろいかもしれませんよね。

都甲　こんなにメモを取ってきたからいろいろ話したいので、急に飛ぶけど、ラテンについて。自分はジュノ・ディアスの作品を訳したんですが、ジュノ・ディアスはラテン系でなおかつ黒人の血が入っています。しかも、アメリカ文学を書いている。黒人とラテンとアメリカが一緒になった新しい文学を、日本のオタク文学もサンプリングしながら作っている。大和田さんの本を読んだときにも、結局ラテンを見ていかないとわからないんじゃないかと思いました。南北アメリカ大陸っていったらラテンの面積のほうが大きくない？

大和田　単純な話、アメリカでヒスパニック人口が増えているんですよね。圧倒的に。

都甲　自分の実感でも、ロサンゼルスに三年くらい住んでいたとき、自分が行っていた大学は南カリフォルニア大学というサウスセントラルの真ん中の学校だった。

　九二年に暴動があったじゃない？　その十年後くらいに行ったんだけど、まだ全然街が直ってないし、コンクリもバリバリ割れているようなところで勉強していたわけ。近所のバーガーキングに行っても、それこそスパングリッシュをみんなしゃべっていて、一文の中で英語からスペイン語、スペイン語から英語に揺れる。普通に暮らしているだけでスペイン語が入ってくる感じがすごくあった。日本でアメリカ文学をやっている人は当時スペイン語とかスペイン文化、メキシコ文化とか全然興味なかったけど。

大和田　そういえば都甲さん、スペイン語を習いに行ったんですよね、ジュノ・ディアスを訳すために。ジュノ・ディアスは新しかったですよ。ドミニカ出身で、簡単な会話文はほぼスペイン語なんですね。地の文は英語なんですけど。これはアメリカの読者はどこまでわかっているのかな。

都甲　意味は分からないんだけど、音は聴いたことがある。つまり、われわれにとっての韓国語とか中国語みたいな感じじゃないかな。耳から入ってくると意味はわからないけれど、雰囲気とか、挨拶とかちょっと単語は知っているという距離感だよね。なんとなく感じはわかるけど意味はきっちりとはわからない。

大和田　九〇年代以降ヒスパニックの人口がどんどん増えて、そうするとどうなるかというと、歴史の書き換えが進むんですよね。

都甲　視点が変わるからね。

大和田　簡単に言うと、黒人とか女性の大学進学率が高くなると、例えばアフリカ系がアイビー・リーグの大学院に進むケースが依然より増えてくる。そして、彼女たちが大学院でアメリカ文学をやると決めて文学史を見ると一九世紀にメルヴィル、ポー、ホーソーンがいて、二〇世紀に入るとフォークナーにヘミングウェイにフィッツジェラルドと、結局全員白人男性じゃないか、と気づくわけですよ。黒人作家はひとりもいないの?みたいなところから、作家の掘り起こしと歴史の書き換えが進んでいくわけじゃないですか。そして黒人作家も女性作家もキャノンの仲間入りを果たす。

　そうした歴史を振り返ると、これからヒスパニックやラテン系の人たちも同じような軌跡を辿るのではないか、と思ってるんですよ。ヒップホップの黎明期を描いた『ゲットダウン』というNetflixのドラマは、主人公がヒスパニックという設定なんですよね。ちなみに面倒くさい話をすると、ヒスパニックは国勢調査上、人種と別枠なので、黒人のヒスパニックと白人のヒスパニックがいる。だからヒスパニックの中にもアイデンティティがホワイトという人とブラックという人がいるんです。

それはいいとして、ヒップホップの誕生を描いたテレビドラマを、たとえばスパイク・リーの世代が撮ったら、普通はアフリカ系を主人公にすると思う。でも最近はヒスパニックの主人公でこういう話が成立するんだなとけっこう驚いたんですよね。

日本のブラック・カルチャー受容

都甲　大和田さんの一貫した主張は三冊半読んでわかったんだけど。

大和田　「一貫した」っていい言い方ですね。同じことしか言ってないってことでしょ（笑）。

都甲　まずいろんなやつがヒップホップを一緒に作っていて、黒人だけではなかったということ。それから公民権運動なんかと絡めながらパブリック・エナミーなんかが政治的に強い主張をしているでしょ、という目だけで見ないでほしい。というのが二大主張じゃない？

大和田　うーん、このあたりはブラック・ライヴズ・マター以降、ますます厳しくなっていると感じますが、もともとこの本（『文化系のためのヒップホップ入門』）は二〇一一年に出て、それまで日本で黒人文学や文化がどのように翻訳、紹介されていたかというと、ラングストン・ヒューズとかジェイムズ・ボールドウィンでもいいんだけど、要するに音楽でもソウル・ファンやジャズ・ファンや、それに音楽ライターといった人たちは、結局のところ黒人差別の話しかしないというか、文化をすべて政治の文脈にあてはめて論じているという印象を個人的に抱いていたんですね。もちろん、アフリカ系アメリカ人がアメリカ史上、筆舌に尽くしがたい経験をしてきたことは紛れもない事実で、そのことを否定するつもりは毛頭ないのですが、あらゆる黒人文化をその基準で価値づけていくという、そしてそれが当然のように研究者やライターに共有されていることに少し違和感を持っていたんです。

都甲　ここで前に、『MARCH』というグラフィックノベルについてのイベントをやったんだけど、あれを読んでも公民権運動からシットインから、行進とかしてバキバキに警官に殴られる現場に自分が一緒にいる気持ちになるもんね。

大和田　もちろんアフリカ系の差別の歴史はそれとして僕らがこの国で伝えていかなければならないことの一つだと考えていますが、繰り返しになりますが、それを文化の領域に拡張すると、ヒップホップもジャズもブルースも、アフリカ系アメリカ人がどれだけ白人中心社会で虐げられていたかという文脈でしか語られない。

　そうすると、ここが一番僕の言いたいことなんですが、個々の作品がそうした政治性のみを基準に価値づけられていくんですよ。「ホンモノのソウルミュージック」や「ホンモノのジャズ」という言い方がよく言われるけど、そうしたマイノリティの叫びを分かりやすく表現している（ようにみえる）オーティス・レディングはホンモノだけど、楽しそうに歌って踊っているだけのモータウンの連中はホンモノの黒人音楽ではないというように。

都甲　ジャズはどうなの？　本物のジャズ。

大和田　ジャズはけっこうわかりづらくて、歴史的にクレオールが作り出したというジャンルの混淆性を強調する人と、いや、黒人音楽であると主張する人が交互に出てくる感じですよね。まあでも、僕らが子供の頃は、好きなブルース・ミュージシャンはエリック・クラプトンですと言うと勉強してから出直してこいって言われて、ロバート・ジョンソンを聴くまでは何もしゃべってはいけないみたいな雰囲気はありましたよね。

都甲　でも、そういうことを言う人のほうが普通だったよね。

大和田　いましたよ、僕が十代くらいのときには高円寺とかに。スティーヴィ・ワンダーとかマーヴィン・ゲイとかが黒人音楽として評価されたのってそれこそ九〇年代以降で、それまでモータウンは、ロイシ（白人）に魂を売ったロイク（黒人）って言われてたんですよ。

都甲　反資本主義・マルクス主義とか、学生運動的なものがベースにあるということですよね。

大和田　そうですよ。だから、どれだけ反体制で白人社会に噛み付いているかによって、黒人音楽としての価値が決まっていくというか。

僕は山下達郎さんをずっと追っていた時期があって、達郎さんはあまりそういう見方をしない人なんですよ。いい音楽と悪い音楽があるだけ、みたいな。そこで僕は典型的な黒人文化史観を相対化することができた。

ちなみにヒップホップの話でいうと、『文化系のためのヒップホップ入門』が出るまで、やっぱり日本のヒップホップジャーナリズムの中心は九〇年代が最高であるという価値観で動いていたような気がします。僕も長谷川町蔵もそういう意味ではアウトサイダーなので、かなり好き勝手なことを言えたわけですけど、この本を読んで、最初に声をかけてくれたのがクラブの現場でＤＪをやっていた人たちでした。「僕たちもあまり大きな声では言えないけど、サウス好きなんですよ」って。だから長い間、日本でもヒップホップの批評的には九〇年代が最高だということになっていたと思います。

都甲　でも、それってただの自分フィルターじゃない？　自分がすごく元気で楽しく生きていた十代や二十代の頃の音楽は最高に聴こえるっていうやつ。

大和田　そう、だからそれはヒップホップに限らず、ロック親父も完全にそうだし、それをいうならアメリカでもありますよ。ヒップホップヘッズで東海岸原理主義で「南部の奴らはみんな馬鹿」みたいにいう人たくさんいますし。「サウスの連中はライムの仕方も知らない」とかね。

それで、先程の話と無理やりつなげれば、長谷川町蔵と僕は、過剰に政治的な機能ばかりが強調されるヒップホップに対して、「ヒップホップをある意味、脱政治的に楽しむこともできますよ」と言ったんですよ。ある種の言語ゲーム、言葉遊びで、ワードプレイ的なことを非常に重視して、「そういうところもみんな聴いているんです」と相対化を試みた。というか、そういう話に乗ってくれたのは町蔵さんだけだったんですけど。

長谷川町蔵は音楽ファンというよりは、アメリカのユースカルチャーを冷静に観察する人で。そういう意味で音楽に対する変なこだわりとか自意識がなかったんですね。

ロマン主義との戦い

都甲　大和田さんは他にも、「ヒップホップは音楽じゃない」「音楽だと思うから分からなくなる」と断言して、「じゃあ何なんですか」というと、単に戦っているだけでしょと。ある種のゲーム性、「お笑い芸人だと思えば、面白いやつが勝つのは当たり前。だから、ラッパーもうまいやつ、かっこいいやつが勝つに決まってるじゃないですか」と言っていて、そういう見方もあるのかと。

大和田　ジャズも、同じルール、つまり、コード譜があって、そのコード進行に合うような別のメロディを即興的につけましょうというゲームなんです。そういうゲームにみんなが参加して、この人はやたら速弾きができて上手いって株をあげたり、別の人は速弾きはできないけどひとつひとつの音に存在感があって印象的だったり。

だから、ブルースもジャズもヒップホップも結局そうですけど、黒人音楽ってずっと大縄跳びを回していて、その中で跳びたいやつが跳んで、ギャラリーを沸かせた人が勝ち、というゲームなんですよ。

都甲　わかったよ、大和田さんのテーマを一言で言うとロマン主義との闘いですね。ロマン主義は自己表現で、物語で、起承転結で感動でしょ。だけど、たとえばヒップホップがどうやって生まれたのかというと、パーティーでみんなが盛り上がっているところを繋げたらいいじゃんって、そこだけ繋げたらすごく盛り上がった。じゃあそこにいい感じの詞を載せたらどう?とか。お客さんの反応を見ながら、きちんとした構成とかも無視して、組み替えていったという話をしていますよね。それって、反ロマン主義じゃない?

大和田　昔、日比野啓さん（成蹊大学）が大和田と都甲のやっていることには共通点があるって言っていて。つまり、僕らはロマンチックな自己表現に、世代的・構造的に懐疑を持ってしまっている。だから、偽アメリカ文学なんですよ。自己表現ではなく、なにかが屈折してしまったという状況にしか美しさを見出せないというか。

都甲　そう、自分がやってるのは、感動を伝えるのではないんですよ。たとえば小説を読んでいて、評論を読んでいて、ヒップホップを聴いていて、このかっこいい感じ、このノリ、この雰囲気を集めたらおもしろいと思って、文章を書いたり、翻訳をしている。

大和田　ヒップホップはゲームだと言っているけれど、僕は基本的に勝負事がまったくもって苦手なんですよ。勝っている人も負けている人も見るのが嫌で。できればジャンケンすらしたくない。野球もサッカーも好プレー集だけでいい。好プレー集ってあれ、ブレイクビーツでしょ。

都甲　試合の流れがわかんないもんね。

大和田　だから、ジダンのあのドリブルだけをずっとループしてくれれば僕はそれでいいですよ。これに共感してくれるかどうかがヒップホップが好きかどうかの分かれ目だと思っていて。「やっぱストーリーでしょ。ジダンのドリブルといっても、誰かがパスして、彼がドリブルしてシュートして得点になってチームが勝利する、というストーリーがないとだめ」という人と、「いや、ジダンの絶妙な足捌きのドリブルだけを永遠に見ていられる、そのループこそが気持ちいいから」という人と。僕はわりと後者です。

都甲　すごくわかる。自分らが若いころ、ポスト・モダン思想とかポスト・モダン文学が出てきた。表現ではなく、サンプリングやリミックスなんだよ、と。自分がやっていることをメタ視点で見ていて、みたいな。その後、廃れたけど、やっぱりポスト・モダン魂が……。

大和田　身体化してしまった。

都甲　油断していると、心の中の蓮實重彦がでてくる。

大和田　サンプリングでいうと、この前の日本文学の大事件あったでしょ。北条裕子の『美しい顔』。

都甲　実際に救出とか引き上げの現場にいなかったのに、手記からかっこいいところを抜き出して、自分なりにリミックスして書いたという。

大和田　それが芥川賞の候補になった。彼女は一度も福島に行ったことがないと公言していて、福島で実際に避難した人の声とかを集めたものから、少しずつ引用している。これは完全にヒップホップでいうところのサンプリング案件じゃないですか。だとしたら、許可とってクリアランス料を払えばＯＫなんですよ。「被災者の心情」を創作物で考慮するとか言い出すからややこしくなるわけで。そういう意味で、ヒップホップは完全にポスト・モダン化されていますよね。

都甲　そうか、作家もヒップホップの考え方を知らない間に取り入れている。サンプリングとかループは浸透していて、感性のベースになっているということですね。

大和田　『美しい顔』の引用にしても、おそらく本人はエモいと思ったから抜いたわけでしょ。

都甲　で、エモいから繰り返しちゃうわけだよね。

大和田　ええ。つまり、ヒップホップは断片のエモさにこだわるわけですが、そういう意味では、文学は「被災者の心情」という言葉に象徴されるように、まだロマンチックですよ。

都甲　たしかに、ロマンチックだね。

＊1　二〇一九年十二月に続編『文化系のためのヒップホップ入門3』が刊行された

第4話

半沢と渋沢

『半沢直樹』を見た。というと、今さらー？ という声が聞こえてきそうだ。二〇一三年に爆発的な人気を博したドラマで、最終話はなんと視聴率四二・二％、「倍返しだ！」というセリフは当時、誰もが一度は口にしていた。で、僕は見ていなかった。テレビでドラマを見る習慣がないのだ。

確かに、モノマネ番組では僕の好きな神無月さんや松村邦洋さんが登場人物たちをめちゃくちゃ真似していた。僕も見て笑っていたが、オリジナルの知識はまったくなかった。むしろモノマネから、こんなものだろう、と思っていただけである。

何というか、サラリーマンとか銀行とか興味がなかったんだよね。当時の僕はアメリカの最新小説を紹介するのに夢中で、心は日本にいなかったのだ。でも今回、友人の奨めで見て考えが変わった。というか、第一回を見ただけでぶっ飛んだ。

何しろおもしろいのである。真面目で実直に仕事をこなしている半沢が、上司の、融資先の、そして金融庁の役人の悪意ある工作によって絶体絶命のピンチに陥れられる。不正融資や粉飾決算などの問題が全部、半沢のせいにされる。ああ、もう負けそうだ。どうなるの。でもなぜか、半沢は持ち前の行動力と洞察力、そして神がかった幸運で乗り切ってしまう。しかも彼を追いつめたほぼ全員が破滅する。ああ、今まで見ていなくて、堺雅人さんごめんなさい。

いや、わかってるよ。現実がこんなものではないことは。これが、冷や飯を食い飽きたサラリーマンの白昼夢だってことはさ。信頼できる部下、信頼できる同期、信頼できる頭取と連携して、嘘と不正がまかり通る世界を正す。時には格闘しても悪に勝つ。でもね。心にしみるんだよね。つまり僕も社会人になり、あれやこれやで十分に傷ついてきた、ということなのか。

さてさて、無粋なことに、どうして『半沢直樹』がここまでおもしろいのかを自分なりに分析してみた。研究者の悲しい性である。で三つの理由があるんじゃないかと考えた。１．ハードボイルド・ミステリーとしての完成度の高さ、２．魅力的な人物造形、３．平成経済史がよく分かる作り。

まずはハードボイルド・ミステリーとして、である。半沢は組織の一員なのに、全然組織人として振る舞わない。組織内で当然とみなされてきた慣習や価値観をまったく無視して、自分なりの正義を貫き通す。闘うときも基本的には一人である。もちろん協力者は募るが、行動も格闘もいつも一人だ。

こういう、自分の価値観で動き回り、証拠を集め、協力者を得ながら真実を突き止める、という人物像で思い浮かぶのが、フィリップ・マーロウだ。レイモンド・チャンドラー作品に登場する主人公である。イギリスから暗黒都市ロサンゼルスにやってきたチャンドラーが描き出すのは、金と暴力が渦巻く世界で、自分なりの道理を貫く主人公だった。

どんなものかは、たとえば『ロング・グッドバイ』を見れば分かる。この世界では警官すらごろつきで、権力と法を武器に、したい放題してくる。だから、筋が通らなければちゃんと闘わなくてはならない。「でかい金は、すなわちでかい権力であり、でかい権力は必ず濫用される。それがシステムというものだ」（四三三ページ）。権力とは闘いつづけなければならない。なぜなら、自分にとっての人生の基準があるからだ。

マーロウの基準はシンプルだ。目の前の依頼に誠実に応えること。彼は『大いなる眠り』（早川書房）でこう語る。「私は依頼を受けて仕事をしています。そして生活するために、自分に差し出せるだけのものを差し出している。神から与えられた少しばかりのガッツと頭脳、依頼人を護るためにはこづき回されることをもいとわない胆力」（一七九ページ）。ここらへんに、現代日本のマーロウたる半沢を読み解く鍵がありそうだ。

さて、2．の魅力的な人物造形に移る。マーロウの向こう側にはキリスト教の神がいた。彼は目の前の状況の中で、神からもらった能力を最大限生かして、依頼人の期待に応えようとする。それでは半沢はどうか。半沢の向こうには孔子がいると思う。正確には、明治時代に渋沢栄一が解釈した孔子だ。

というと唐突な感じがするかな。実は要所要所で半沢は、なぜこんな生き方をするのかを語っている。たとえばシリーズ第四巻『ロスジェネの逆襲』で彼は言う。「サラリーマンは――いや、サラリーマンだけじゃなくて全ての働く人は、自分を必要とされる場所にいて、そこで活躍するのが一番幸せなんだ。会社の大小なんて関係がない。知名度も。オレたちが追求すべきは看板じゃなく、中身だ」（二五〇ページ）。

うーん、しみる。そして言っていることは、今置かれた状況でベストを尽くせ、という点でマーロウと同じである。あるいは半沢のこの言葉はどうか。「仕事は客のためにするもんだ。ひいては世の中のためにする。その大原則を忘れたとき、人は自分のためだけに仕事をするようになる。自分のためにした仕事は内向きで、卑屈で、身勝手な都合で醜く歪んでいく。そういう連中が増えれば、当然組織も腐っていく」（三九四ページ）。

仕事は自分のためでなく、人のためにやる。しかも正義を忘れてはならない。ましてや、自分の得のために、人を陥れ権力を乱用するなんて言語道断だ。この半沢の考え方の向こう側に、僕は渋沢栄一の響きを感じる。

『論語と算盤』で渋沢は言う。日本において武士は『論語』を学びながら、商人を見下してきた。確かに彼らの学問には、国を統治するという面では大きなものがある。だが実業を卑しむがあまり、国力を衰退させてしまった。西洋諸国と日本との差ができたのも、こうした実業蔑視の考え方が原因だ。

儲けを汚いものと考えるようになったのは、宋代の大学者、朱子のせいだ。けれども、もともと孔子や孟子が言っていることは違う。道徳にかなった儲けは正しい、というのが彼らの考え方だ。けれども儒教は学者たちのおかげで、途中で歪んでしまった。

ならばこれを正さなければ、道徳でも実業でも伸びゆく日本を作ることはできない。だからこそ、『論語』に帰ることが必要なのだ。「私は論語で一生を貫いてみせる。金銭を取り扱うが何ゆえ賤しいか。君のように金銭を卑しむようでは国家は立たぬ。官が高いとか、人爵が高いとかいうことは、そう尊いものではない。人間の勤むべき尊い仕事は到る所にある。官だけが尊いわけではない」（三三ページ）。

道徳にかなった儲けは正しい。国を富ませ、社会を富ませ、ひいては個人を富ませるのだから。そして心正しく儲けていかなければ幸福はやってこない。こうした考え方は、現代日本ではごく常識的なものに思える。だが明治の世では、画期的な思想的革命だった。こうした考えから、渋沢栄一は日本最初の銀行、第一銀行を作り、また一橋大学の基礎を築いたのだ。

さて、ここまで見てくれればわかるように、半沢直樹が言っていることは渋沢栄一と同じである。しかも渋沢は「倍返しだ！」に近いことすら語っている。優しいだけが良いわけではない。「正しきを曲げんとするもの、信ずる所を屈せしめんとする者あらば、断じてこれと争わねばならぬ」（三三ページ）。いやー、熱いね。すなわち、『半沢直樹』は現代社会を舞台としながら、日本近代を貫いてきた、商人となった武士たちの『論語』主義を再び唱えているのだ。

で三つめの平成経済史早わかりである。ドラマ『半沢直樹』の前半はシリーズ第一巻『オレたちバブル入行組』に、後半は第二巻『オレたち花のバブル組』に対応している。だからこそ、実績をあげたいばかりの銀行の無謀な貸し出し、バブル崩壊後の無責任な企業の粉飾決済、高圧的な貸しはがしなどが語られる。すなわち、バブルとその後始末の混乱が語られるわけだ。

これは続刊でも変わらない。第三巻『ロスジェネの逆襲』では不況下における極端な就職難、親会社と子会社の不平等な権力関係、詐欺的な企業買収を扱っている。さらに第四巻『銀翼のイカロス』は日本航空の破綻と民主党政権による介入が批判的に描かれる。すなわちシリーズ全四巻を読めば、平成の三十年に日本でどれほどひどいことが続いてきたかがよく分かる、というわけだ。

そして歴史を語る以上、一定の価値観に基づいて描かれざるを得ない。きちんとお客様の希望を聞きながら、地に足をつけてコツコツと誠実に働くのが一番、という半沢直樹世界では、それに反する人々は徹底的に批判される。たとえば、『ロスジェネの逆襲』に登場する、メディア使ったド派手な手法で敵対的買収を仕掛ける、というホリエモンを思わせるＩＴ社長は、自分のことだけを考えている愚か者とされる。

あるいは『銀翼のイカロス』に出てくる、国土交通省大臣となった元アナウンサーの若い女性議員（なんとなく蓮舫っぽい）は、がんばって働いてきた航空会社の社員や、きちんと再建計画を作った銀行員たちの努力を無視して、メディアで煽った民意を利用しながら自分たちのイメージをアップさせようとする、権力の亡者になる。

ここらへんは半沢直樹シリーズの保守性と言われても仕方がないだろう。当時の新世代であるホリエモンや蓮舫なりの正義もあっただろうに、そこはスルーされてしまっているのだ。そして私利私欲に走った無知な若者が、メディアを使って人々の努力を破壊する、という一方的な話になっている。

だが、だからこそ現代日本を知る上で、半沢直樹シリーズは理想的な教材と言えるのではないか。日々変化する世界で、女性や若者、外国人がどんどん台頭してくる。そして今までコツコツと頑張ってきたそれ以外の人々は、社会の変化の中で取り残されていく。

どうしてチャラいあいつらだけに光が当たり、なおかつ巨額の金を得られるのか。そう考えているのは、アメリカのトランプ支持者やイギリスのブレクジット論者だけではない。日本でも同じことだ。そして彼らの気持ちを汲めなければ、今の日本を理解できない。

『論語』的倫理と、現代社会の多様化や技術の進化を結びつけること。令和の日本に必要とされているのは、新たな渋沢栄一であることが、半沢直樹シリーズを読むとよくわかる。

さて、今や完全にグローバル化し高度情報化が進む世界で、半沢直樹は日本を拠点にがんばっていた。それでは、アメリカを拠点にした作品はどうか。次回はそこを見ていこう。

第5話

前立腺の教え

　ニューヨークに行くことになった。友人から声をかけてもらって、ニューヨーク大学で開かれるシンポジウムで二十分ほど話をすることになったのだ。考えた題名は「翻訳を翻訳する――ジュノ・ディアス『オスカー・ワオの短く凄まじい人生』を日本語に訳すこと」である。ニューヨークの隣、ニュージャージーのドミニカ人街が舞台のこの作品で、登場人物たちは朝から晩まで英語とスペイン語の間を行ったり来たりしている。こうした翻訳という作業にどっぷりハマった人々の人生を、第三の言語である日本語にどう訳したか、その苦労は、なんて話そうと思っているんだけど、アメリカの人たちが興味を持ってくれるかどうかはわからない。

　前回行ったのは二〇〇四年だから、もう十五年前だ。アメリカに行くとなると、ただでさえ遠くて億劫なのに、知り合いがいるロサンゼルスやハワイを優先してしまうから、どうしてもニューヨークは後回しになる。でも、前回行ったときの驚きはまだ覚えている。大通り沿いに、まさに林立している高層ビル街。アメリカ美術の名画が大量に展示されている巨大な美術館。

ここと比べたら、僕が住んでいたロサンゼルスなんて田舎だ、と身に染みて分かった。

で久しぶりなので、ニューヨークを舞台にした映画を見て、町の雰囲気を予習することにした。選んだのが『コズモポリス』である。二〇〇三年にドン・デリーロが書いた原作を、二〇一一年にデヴィッド・クローネンバーグが監督した作品だ。なんでまたクローネンバーグ、とお思いだろうが、好きなんだからしょうがない。アメリカ文学史の授業でウィリアム・バロウズについて話していて、ついでに映画『裸のランチ』でタイプライターがゴキブリに変わるシーンを見せたら、大いにひんしゅくを買ったのも良い思い出である。

『コズモポリス』の話だった。今回見て、すごく驚いた。ドン・デリーロ入門としては、いまだかつてないほど優れた作品なんじゃないか。デリーロ作品特有の言葉のキレ、経済や政治とアートや文学を結びつける手法、かっこいいやり取りの先にホロリとくる心の触れ合いがやってくるところなど、クローネンバーグはデリーロの良いところをしっかり受け止めて娯楽作に仕立てている。素晴らしい。

僕はもともとデリーロの大ファンで、ロサンゼルスでもわざわざ講演会まで行ったぐらいだ。物静かで柔らかい感じの人だが、真顔で話しながらしょっちゅうボケる。そのたびに会場が笑いの渦に包まれる。終わったあとのサイン会でも少し話せて嬉しかった。彼の作品についての論文を何本も書いたし、短篇も数本訳して、今年は水声社から中篇『ポイント・オメガ』の訳本も出したぐらいだ。ちなみに今は長編『ホワイト・ノイズ』新訳にも取り組んでいる。

　だからこそ、デリーロ人気が今一つ日本で盛り上がらないのが歯がゆくてたまらない。もちろんしょうがない部分もあるだろう。そもそも感動や涙に比べて、笑いは翻訳では伝わりにくい。しかもそれが自虐などではなく風刺の笑いだった場合、本国での文脈がわからないとどうにもならない。ジェイムス・ジョイスなど前衛文学の影響を受けているのもキビしい。今の文学が世界的に、村上春樹やカズオ・イシグロなど簡単な方向に向かっているのに対して、デリーロは平気で前衛的だ。だから、そうしたものに触れていない人には少々ハードルが高い。

　というわけで、現代アメリカで最高に尊敬されている作家が、日本では人気はもう一つ、という結果になっている。悲しい。まあ、ノーベル文学賞でも獲れば話は別だろうけど。ということで、映画版『コズモポリス』の出現は画期的だ。これでデリーロが大衆的な人気を博すとは思えないが、潜在的にいるだろう狭い読者に確実に届かせる道筋にはなっている。

　さて、『コズモポリス』はどういう話かと言えば、かなり単純だ。二十八歳で投資ファンドを率いるエリックが白いリムジンに乗り込んでいる。場所はニューヨーク、マンハッタンの四十七丁目で、これから一方通行の通りを西に行き、島を横切ろうというのだ。目的はなんと散髪である。そんなものどこでもできるじゃないかと警備担当者には言われるものの、エリックは彼の言葉には従わない。

国際連合の本部ビルから伸びるこの通りには、保守派のユダヤ教徒が集うダイアモンド地区やタイムズ・スクエアなど名所がたくさんある。ならば約三キロとはいえ、少々時間はかかりそうだ。だが作品内では、なんと丸一日かかってしまう。そもそも、大統領がニューヨークに来るこの日に、マンハッタンで車に乗るなんてマズいとしか言いようがない。

それだけではない。エリックのリムジンはイスラム教徒の人気ラッパーの葬儀の列に巻き込まれ、次いで反グローバリズムの過激なデモ隊に襲われる。ネズミの死骸を振り回す彼らは車にスプレーで落書きをしまくり、殴る蹴るでボコボコにしてしまう。おまけに力を合わせて車をひっくり返そうとまでする。

もちろん、リムジンが遅れるのはエリック自身のせいでもある。結婚したばかりの大金持ちの妻エリースの姿を、隣に停まったタクシーの中や劇場の入口に見つけては車を降り、彼女と話し込む。話題は常にセックスだ。どうやら詩人でもある妻は、彼と寝る気がまったくないらしい。エリックはリムジンの中で年上の女性と関係し、ホテルで警備の女性と関係する。だがそのたびに、セックスしたことを妻に臭いで悟られてしまう。

リムジンの車内は彼の執務室だ。膨大な量の金額を人民元の下落に賭けて、彼はほんの一日で全財産を失う。コンピューター技術者や市場アナリスト、形而上学担当の学者などが次々彼のリムジンに乗り込んでくるが、彼らの言葉や技術はまったく役に立たない。

夜になり、危険な貧困地区に辿り着いたエリックは、警備担当者から借りたハイテク銃で彼を射殺し、それを捨てて古い理髪店に乗り込む。ここは彼が子供の頃、早くに亡くなった父親とともに通った店だった。貧しい移民の子としてのルーツを確認したエリックは、理髪店の親父さんにもらった旧式のリボルバーを持って戦いの場に向かう。

彼と対峙するのはベノ・レヴィンという男だ。四十一歳の彼は、かつてタイの通貨バーツのアナリストとしてエリックのファンドで働いていた。だが高度化するばかりの仕事の速度について行けず、今では失業者として廃ビルに住み着いている。彼には、エリックを殺さないと自分の人生の意味はない、という妄想がある。レヴィンが自分の名を叫ぶ声を頼りに、エリックは銃を撃ちながら彼の部屋を見つけて入り込む。

銃を手に向い合う二人。だがすぐに対決の場面にはならない。二人は座ったまま、仕事や人生の意味について語り合う。どうやらレヴィンは、人の生死まで左右できる権力のあるエリックに自分を救ってほしいらしい。そしてエリックは、全財産を失い殺人まで犯した自分をひと思いに殺してほしい。思惑は擦れ違い、二人は膠着状態に陥る。

この均衡を破るべく、エリックは銃で自分の手のひらを打ち抜く。そしてレヴィンに介抱してもらう。果たして彼は、レヴィンの手によりここで最期を遂げるのか。それとも新たな生を見つけて、この廃ビルから再び出て行けるのか。

映画版を見て思うのは、原作が出た二〇〇三年から映画化された二〇一一年の間にいかに多くの変化があったか、だ。二〇〇八年にはリーマン・ショックがあり、世界経済が大いに落ち込んだ。そしてウォール街の富裕層を助けた政府の方針に反対するオキュパイ運動が、まさに二〇一一年に起こっている。原作では日本円の下落に賭けていたエリックが、映画版では人民元になっているのも、中国の台頭という意味で時代の変化を感じさせる。

だが、原作や映画を通して、デリーロのメッセージは変わらない。リムジンや高度な知識、コンピューターを駆使した予想でいくら自分を守ろうとしても、そんなものは運命の前では簡単に壊れてしまう。未来は常に想定外で、人は勝ち続けることなどできない。健康は損なわれ、性的な欲望は自分を翻弄する。ならば、安全の名の下に自分を何重にも包み込むのではなく、むしろ不要な覆いを一つずつ剝ぎ取って、裸で世界と対峙すべきなのではないか。

僕が好きなのはデリーロのこの二極性だ。彼は輝く都市やテクノロジーの話を好んでする。だがそれは、スラム街や死にゆく体との対比のためだ。どちらも本当なのに、多くの者は片方だけに意識の焦点を合わせてしまう。それでは現代は理解できない。もちろんここには、貧しいイタリア系二世としてニューヨークで育ち、華やかな広告業界に入ったというデリーロ自身の人生経験もあるだろう。

エリックは自らの緻密な知性を駆使して、脳内に世界の正確なモデルを作り上げることで次の未来を予測し、短期間で巨額の富を手に入れた。まるで現代におけるギャツビーのように。けれどもそのモデルは、あまりに無傷で美しいがゆえに、いつか世界とずれ始める。それは同時に、彼の没落の始まりでもある。

リムジン内でエリックは医者に前立腺を調べてもらう。彼の肛門に指を突っ込んだ医者は言う。あなたの前立腺は非対称ですね、と。そうだ。僕らの身体すら、多くの偶然に翻弄された挙げ句、理想的な形はしていない。だが言葉という記号と数式によって思考する脳は、きれいな世界を夢想する。

だからこそ歴史が重要なのだ、とデリーロは言いたいのだろう。生身の身体が生身の世界と対峙し、そこから歴史が生まれ、積み重なっていく。コンピューターの中ではすべては計測可能で、その点では過去も未来も存在しない。あるのは永遠の現在だけだ。だが実際には、割り切れない歴史が僕らを動かしている。そして僕らも肉体の痕跡としての歴史を残していく。

汚いものに、理解できない思考の残余に目を向けろ。これは今の読者には酷な要求だ。けれども僕らは、それを見る力を身につける必要がある。なぜならそこにこそ、僕らの真の姿が立ち現れているからだ。

椹木野衣＋
都甲幸治

言葉と意味から離れて

椹木野衣
一九六二年埼玉県生まれ。美術批評家として会田誠、村上隆、ヤノベケンジら現在のアート界を牽引する才能をいち早く見抜き、発掘。既存のジャンルを破壊する批評スタイルで知られ、蓄積なしに悪しき反復を繰り返す戦後日本を評した「悪い場所」（『日本・現代・美術』新潮社）という概念は、日本の批評界に大きな波紋を投げかけた。多摩美術大学教授、芸術人類学研究所所員も務める。

美術批評家の椹木野衣さんをお迎えしての第二回。美術作品を見ることをテーマにした最新作『感性は感動しない——美術の見方、批評の作法』を手がかりに、文学も含めたアートを身体的にとらえること、教師としての悩み、アウトサイダー・アートなど縦横に語り合いました。

（二〇一九年三月二日）

見えているのに見えていないもの

都甲　都甲と申します。普段はアメリカ文学を中心に海外文学を翻訳したり教えたりしています。

椹木　僕は美術批評をやっておりまして、大学でも教えています。都甲さんとこういう形で公でお話するのは初めてだと思うんですよ。接点は——

都甲　ふたりとも読売新聞と朝日新聞で書評委員をやってたんですが、その任期がほとんど丸かぶりなんですよね。

椹木　そうですね、不思議ですよね。

都甲　なので二週に一度くらい会って、なんとなく近くでお弁当を食べるみたいな関係です。去年の忘年会で椹木さんが挨拶されたじゃないですか。そのときにお弁当の話をされていた。お弁当の中に辛味噌がみたいなのが入ってるんですけど、何につけたらいいのかがわからなくて、一回も使ってないな、というのは僕も気づいてたんです。

椹木　気づいてましたか。

都甲　お弁当を食べるたびに「なんで入ってるのかな?」と思っても、終わったら忘れてたんですよ。

椹木　つけて食べてないんですか。あれがあの弁当の最大の売りみたいなんですよ。

都甲　そうなんですか！　忘年会でみんな一人ずつ挨拶をするんですが、そのときに辛味噌について「これ、どのタイミングで何に使っていいかわからないですよね」みたいな話をされていて、このひとすごいなと思ったんですよ。

椹木　話すことがなかったので、苦し紛れに出てきたんです。僕はあるとき、お弁当にはいろんな品が入ってるから、どれかに合うはずだと思って、一個一個試してみたんですよ。

都甲　どうでした？

椹木　どれにも合わないんです！　それで編集長に「これ、どうやってつけたらいいんですか」と聞いたら、「どれにつけてもいいことになってます」という返答が返ってきて、ますますわからなくなった。その疑問が忘年会の挨拶に。

都甲　みんな辛味噌の存在には気づいていたのに、それに対する疑問をちゃんと言葉にして言えるひとがいなかったんです。みんなが見てるのに、ちゃんと見えてないものが見えてるなんて、美術批評家ってすごいなと思いました。それとつながるかわからないんですが、今日のこのテキスト、『感性は感動しない』は最新刊[*2]ですよね。

椹木　はい。

都甲　辛味噌につながりそうなことを思ったんです。僕は悩みがありまして。お互い学校の先生じゃないですか。でも「文学を教える」というときに、どうやって教えていいか誰も教えてくれない。

椹木　そうですね。

都甲　文学もアートの一種だと思うんですけど、何を教えたら教えたことになるのかわからないまま十年以上続いている。偉そうに自分も批評を書いたり、あるいは翻訳したりしていますが、何を教えたら教えたことになるのか。文学史で何年に生まれて何年に死んだとか教えるのか。あるいはアンチョコに書いてあるようなことを「こういう大事なことがあるよ」とか言ったら文学を教えたことになるのか。考え出すと本当にわからない。最近は教えないという授業をやってるんです。いきなり短編を読ませて、「どう思った？」みたいな感じで「自分はこう思った」「わたしはああ思った」とか話し合う。

完全に作品から離れてしまった読みがあれば違うと言いますし、背景の知識はあるから、そういうのは補いますが、最終的に「この作家はこういう人だよね」と思い込んでいたのが、実際に読んでみたら全然違うじゃんといって終わる授業というのを毎回やっています。知っていると思っていただけで、実は知らなかったことに気づく、という方向に授業が動く。

椹木　ほう。

都甲　自分の中では自然な流れだったんですが、同時に、当事者として何をやってるんだかよくわからない。学生と自分との関係の中から生まれてきたものなんですけど。そこでこの本を読んで、それに近いことがいっぱい書いてあるなと思ったんです。今日は椹木さんがなんでそういう考え方に行き着いたのかをお聞きしたいと思って来ました。

椹木　はい。

すぐには感想を言わないこと

都甲　「そういう」と言われてもピンと来ないと思うんですけども、この本に出てくる話で、美術作品を見るというのは、美術史を勉強することでもないし、賞を取った人の作品を前にして「さすがにすごい作品ですねえ」とか言うことでもない。作品を前にして、何かが起こるんだけど、その何かをすぐには言葉にしない。

椹木　ああ。

都甲　時間が経つとだんだんじわじわと自分の中

で何かが変わっていくんだけど、その何かに名前はつけない。

美術と向かい合うとはこういうことじゃない、ああいうことではない。美術について語るというのはこういうことじゃない、と普通みんなが考えてるようなことをずっと否定していく。その感じが、文学を読む、文学を教える、文学について語るというのはこういうことじゃない、と自分が思ってることと非常にシンクロして、不思議な縁みたいなものを感じました。

椹木　ありがとうございます。都甲さんは文学を読まれて、すぐ感想を訊かれることはないですよね。

都甲　ないですね。目の前に作者がいて、今読んでって言われて「よかった？　よかった？」って（笑）。まずないですよ。

椹木　美術の場合はけっこうそれがあって、ある程度の歴史的な評価を得ている美術家でも、個展を開くと会場に出没していたりするんですよね。作った本人がそこにいるという状況が普通にある。

都甲　めちゃくちゃ会えますよね。ギャラリーとか。

椹木　本と違って、読む時間がかからないし、観てただちに感想を求められることもあるんです。本人がいるので、こっちも何も言わずに帰るのは失礼かなというのもありますし。

都甲　絶対褒めてって感じですよね。

椹木　喧嘩になったりするのも困るし、以前は何かいいところを探して感想を言うようにしてたんです。でも、そうして自分の体験を言葉に置き換えると、言葉は強い。意味があるじゃないですか。

都甲　ありますね。

椹木　体験には意味はないので、意味のほうに縛られちゃうんですよね。あとで展覧会について文章を書くときにも、そこから抜け出せなくなるんです。

都甲　ああ、一度自分が喋ったことに縛られてしまう。

椹木　そうなると自由に書けなくなるとわかったんです。ある時からは、そういう理由で感想は言わないことにしてます、批評にとって重要なことなのでいたしかたないのです、と言うと、そういうもんですかとその場は解決するので、感想は言わないと決めました。最初は処世的な部分もあったんですが、実際に何か言ってしまうとそれがずっと残っちゃうのでよくないなというのもあって、今後は茫然自失状態でいようと。

都甲　考えない。

椹木　できるだけ考えない。目の前にあるものをただ見る。もちろん完全に茫然自失になるとたいへんな迷惑なので（笑）、そこまで自失状態にならず、ただ呆然と見て、この絵はどういうものか、すぐには言葉にしない。いろいろ雑念が出るから言葉は浮かんでくるし、帰ってからそれを書き留めたりはするんですが、文章にはしない。そのまま放置して、結局文章にならないこともあります。それについて書いてくれという話が来て、ようやく考える。あのとき浮かんでいた雑念とか言葉が、自分にとってどういうものだったのかなと、改めて初めて文章にする。

都甲　ある種の印象なのか、その作品と自分との関係なのか、空気感なのか。そうした「感じ」は長時間保たれるものなんですか？　つまり、依頼が三ヶ月後とかになっても、パッと持ってこれるというか。

椹木　文学でもそうなんじゃないかと思うんですが、対象によって違うんです。最初はものすごくインパクトが強くても、瞬時にそれが無くなることもありますし。

都甲　ああ、なるほど。

椹木　最初は何気なく観てたものがじわじわと残っていて、それがなかなか消えない。何ヶ月経っても消えない。下手すると何年も、なんてものもあります。最初は全然いいと思わなかったのが何かの機会に浮上してきて、どんどんインパクトが強くなっていくとか、いろんな持続の波形がある。絵や彫刻や、写真や映像や、インスタレーションとかいろんなものがありますけど、そういう表現の違いにかかわらず、何かあるんです。

都甲　ものによって違うんですね。

椹木　だから一年後に頼まれても、書けるものは書けるし、書けないものは書けないですね。直後に書いたほうがいいものもあるし、直後では何も書けないこともある。

意味に縛られる

都甲　文学作品について書くときと近い気がします。文学作品は言葉を使って書いてある。すると、言葉は意味があるから意味に飛びついてしまう。安易に、と言ってしまいますが、たとえば登場人物がいいことを言うセリフがあるじゃないですか。

椹木　うんうん。

都甲　そうすると、「ここに答えがあった！」と、考えるのをやめてしまいがちなんです。でも、文学作品も美術と同じで、本当は言葉じゃないと思うんですよね。自分の中で五感＋身体の中の感覚とか、過去の記憶とか未来の妄想とか、そういうものがパッケージ化されて、仮に言葉の形で物質化しているだけ。なので、文学の経験も一ヶ月とか三年とか経って作品の中の感覚がふっと戻ってきたり、自分の中で作品との関係が発酵していくようなイメージはあります。作品を前にしたときに、意味じゃない領域というか、わかってしまわない状態を持続しながら、何かが浮かび上がってくるのを待つ。それを教えるのがすごく難しい。

椹木　絵の場合は特に、観てるようで観てないんですよね。実際は意味を汲み取ってる場合が多い。そこは文学と違うところかもしれないけど、美術の場合、特に二〇世紀に入ってからは、ほとんどの場合、最初は複製で体験するわけですよね。

都甲　はい。

椹木　実物はどこかの美術館に置かれている一点しかない。それも海外の遠い国にあったらなかなか行けない。教科書や画集や、そういう印刷物でまず観る。機会を得て作品が日本に来るか、自分が海外に行ってその美術館に行って初めて目の当たりにする。「あ、あのときに複製で観ていたのがこれなんだ」と複製を追認するみたいな形で、そこから先になかなか行けない。

都甲　複製って必ず解説がついたりしますよね。だから答え合わせみたいなことになる。

椹木　何世紀のどういう傾向の作品です、みたいなキャプションや解説があって、必ず文字と対応している。その文字を読んで理解することになるから、どうしても言葉の意味に縛られて抜け出せないことが多い。

都甲　お勉強的な美術史みたいな見方から出るというのは、どういうふうに教えるんですか？

椹木　そこでやはり悩んでるんです。

都甲　お互い悩んでるわけですね（笑）。

椹木　絵を観るための社会的背景も知識も要らないんだと言ってしまうと学校そのものが存在しなくなるので（笑）それは最低限教えた上で、それに縛られないようにするために、こんな見方があるよと教えたり手引する感じですよね。案外、自分がそれから抜け出せずにいるので。

都甲　先生をやると、やたら知識だけ増えちゃいますよね（笑）。

椹木　美術はやはり西洋美術が本流なので、極東の島国には有名な作品は国立の美術館とかでもほとんどない。そういうカノンになるような作品はすべて複製で観るわけです。のちのち海外に行くようになってようやく現物を観る。それは教育をどう受けるかにかかわらず、専門家でもそうでなくても、基本的にはそんなに変わらない環境です。大学で教えるとは言っても、原体験に美術作品を対面して物として観るというのが備わっていないので、その複製からどうやって抜け出したらいいのか。知識は増えても、むしろ増えれば増えるほど、その実態が見えなくなる。

意味から脱して身体に刷り込む

都甲　この本の中で、すごく身体の話が出てきます。美術館を回るときの速度という話があって、引き込まれればひとつの絵の前で閉館までいてもいいじゃないかという。あるいは子供が描いた絵を観ると、大人が描いたよりもずっと複雑な線で描かれていて、こういう身体を持っていた痕跡が線の一本に残ってるという話だったり。ヨーロッパにサバティカルで一年行かれたときに、ずっと美術館に通ってこまかく絵を観ていくうちに、頭で理解するのではなく、作品の感じが身体の中に蓄積していくとか「身体」が一貫して出てきますね。

椹木　都甲さんは学生にいきなり文章を読んでもらって、「これってこんな文章だったんだ」と発見してもらうということですが、美術でも同じようなことを目指しました。イギリスに一年住む機会がなければできないことは何かなと考えて、大英博物館とナショナル・ギャラリーに行こう、ヴィクトリア・アンド・アルバートに行こう、テート・ブリテン、テート・モダンに行こう……それって観光客がやることじゃんとも思うんだけど。

都甲　すごくベタですよね。

椹木　でもそういう美術館に毎日行くのは住まないとできない。観光客だと、ひとつの館を二時間観ればいいほうで、駆け足だったら午前中に二館、午後二館とか回ることになります。それでは行ったことにはなってるけれども、ほとんど観たことにはならない。

都甲　だから毎日通うと。

椹木　僕はロンドン芸術大学の客員研究員という立場で、講義やゼミをもたない形でしたから、とにかく毎日、開館に合わせて行きました。大英博物館に行くと、もう閉館まで出ない。で、次の日はナショナル・ギャラリー、西洋美術史ですね。あとは、テート・モダンで、現代美術。テート・ブリテンで英国美術、ヴィクトリア・アンド・アルバートはファッションやデザイン。これを順番に繰り返していく。もちろん出張とかあるので、完全に毎日ではないですが。大英博物館はとにかくでっかいので、一部屋ひと部屋、素通りせずに丁寧に観ていこうとすると、たぶん三ヶ月はかかる。

都甲　すごいですね。巨大なんですか？

椹木　巨大だし、点数がめちゃくちゃ多い。ナショナル・ギャラリーならいわゆる教科書に出てくるような、美術の教科書に出てきたものが普通にかかっている。そういうのが日本にやってくるとすごい列ができて、入館まで二時間とか三時間とかかかりかねないですけど。

都甲　入れてもたくさんの人に囲まれちゃって（笑）。

椹木　そういう感じでは全然ないです。たとえばフェルメールがナショナル・ギャラリーには三点くらいあるのかな。それを三時間観ようと思って行くと、途中で何人かは来ますけど、囲みになったりはしないので、いなくなったらまた前に行ってずっと観る。

都甲　ある程度前の方に行けるんですか。

椹木　接近して観ます。一年、いろんな絵に対して、特に気になった絵に関してそういうのをやる。そうすると、とても有名な、わかってたつもりの絵が、全然わかってなかった。観たことのない絵に見えてくるんです。これってこんな変な絵だったんだ、みたいな。

都甲　それはたとえば、ディテールとか？

椹木　ディテールと筆致、いちばん違うのは大きさ、そしてそれに由来する存在感ですね。あと、色は全然印刷では再現できないので。それらが全体で醸し出す空気感。何世紀の何という画家でとか、意味しか見えてなかった状態から脱するためには、ひたすら身体に刷り込んでいく時間が必要なんです。

身体と細部

都甲　学校ってその対極じゃないですか。最大でも四年しか教えられず、なおかつ週一回授業があるだけ。だいたいこう言えば不正解じゃないよ、くらいのことしか教えられない。時間の厚みの中で、できるだけたくさんの感覚を使いながら、自分の身体的なありかたを時間をかけて変化させていくということに、とっても弱いですね、学校って。

椹木　そこで僕も四苦八苦してるんですが、幸いなことに、僕の教えている美大は、九割くらいの学生がものづくりをしている。美学・美術史とか美術批評、キュレーターを目指している人もいますけど、全体ではごくわずかで、たとえば僕のゼミに来る学生は七割くらいが油絵専攻なんです。

都甲　ああ。

椹木　つまり、日々絵を描いてる。なので、ゼミでは、歴史上重要な作品とかそういうのは取り上げず、たとえばその人が昨日描いた絵を持ってきてもらって、それについて一時間くらい言いたいことを語り合う、というのを以前はやっていました。最近は開催中の展覧会から選んでもらって、いっぱい作品があってもできるだけ一点くらいに絞って一時間くらい話すとか。

都甲　それは楽しいですよね。

椹木　楽しくもあるけれども、支えが何もないのでちょっと怖い感じもしますね。

都甲　正解がない。

椹木　準拠するものがない。しかも作った本人がいる。複数の視点が入り交じるので、結局答えは何も出ないで最後にブツッと終わります（笑）。

都甲　本人は聞いてて喜んだり怒ったりしますか？

椹木　自分が描いたものについて、そういうことを言われるとは思わなかったというのが多いですね。それが不快なのか発見なのかは、人によって違うとは思うんですが、たぶん発見のほうが多い。全然そんな意図で描いたつもりじゃなかったのに、そういうふうに理解してもらえるとは思わなかったですと。自分自身の視点が広がったということはよくあります。結局絵ってモノなので――文章も究極的にはモノだと思うんですが。

都甲　はい。

椹木　絵も絵の具だったりするので、自分が描いたからといって、その一〇〇％完璧なコントロールはきいてないんですよ。油絵の具なんて時間が経たないと乾かないし。だから自分で描いてるようで描いてないんですね。第三者が対面したときに初めて見えてくることのほうがおそらく多い。それを受け入れられるひととそうじゃないひとがいるとは思うんですが、受け入れたほうが世界は広がるんじゃないかな。そういう機会になればと思っています。文章もそうですよね。都甲さんが書評委員会の二次会で話されていたことで、ルソーの文章を初めて読んでみたら、解説書なんかで言われてたことと全然違うと。

都甲　ルソーは民主主義の祖みたいに言われてるけれど、実際に読むと、小さい国には民主主義が合うけど、ロシアとか中国みたいな大きな国は独裁じゃないと運営できないと言ってる。あるいはアダム・スミスが言うには、工場労働者は自分が賢いと思ってるけど、農民のほうがよほど賢い。自分で責任を取って自分の経営で収入が上下するひとは一生頭を使い続けるから、若い頃頭がよかったひとよりも最終的には優秀な人間になるとか論じている。実際に読むと全然違いますよね。

椹木 それに近いことだと思うんですよね。たぶんルソーやアダム・スミスの本を読む前に、学校で位置付けとか功績とかが先に頭に入っちゃうから、細部にいろんなことが書かれていても素通りしてしまったり、あまり重要じゃないと読み飛ばされたりするんだけど、本人はそれを一生懸命書いてるわけなので、どこも重要なはずですよね。そういう目が行かないようになっている場所を発見していく読書の楽しみがある。絵も意外と隅っこのほうに描いてある変なものが気になったりします。それは身体で読んで行く、身体で観ていく、という経験を通じないとなかなか見えてこない。

世界文学の「世界」とは？

椹木 ここで都甲さんの話をしたいんですよ。都甲さんは世界文学にたいへんお詳しくて、いろんな紹介もされてますが、世界文学という言葉が僕は意味がいまひとつ汲み取れなくて。日本文学も大きくとらえれば世界文学の一部なんですよね。

都甲 大学の授業みたいになっちゃうんですけれども、世界文学全集ってあるじゃないですか。イギリス編、フランス編、ロシア編、アメリカ編みたいな。イギリス文学はイギリスで生まれたひとがイギリスについてイギリスの言葉で書いてるんだな、という枠組で考えてきたけれど、どこの棚に置いていいかわからない本が増えている。たとえば、パキスタンとかインドで生まれて、インドで書いていて、でも舞台はアフリカとか。アンティグア・バーブーダなどカリブ海育ちのひとがアメリカに行って、さらにイギリスに行って書いてるとか。

そういう国境も地域も言語も複数入ってくる作品が、特に八〇年代以降、高く評価されるようになってきた。芥川賞をずーっと外国出身のひとが取るみたいな感じに変わってるんです。特に英語圏とフランス語圏。

　なんなんだろう、それ？という疑問が世界中で出てきて、翻訳研究や比較文学のひとたちが、もう呼びようがないから「世界文学」とか「移動文学」と呼ぶようになった。

　インターネットの登場とか、あるいは実際に肉体的にも海外に移動することが普通のことになってきて、そっちのほうが高いレベルでおもしろいものを書いているという点では、現代文学の中心なんじゃないの？みたいな議論に変わってきたんです。そこで仮に世界文学と呼ぶけど、それは国と言語と国民が重なった、過去の世界文学全集的なものとは違う。

槙木　なるほど。

都甲　自分はなんでそういうのに興味を持つようになったのかというと、やっぱり留学です。アメリカで自分のついた先生がヴィエト・タン・ウェンというベトナム人なんです。そのひとは僕に普通にアメリカ文学を教えてくれてたんですけど、作家としてもブレイクしちゃった。『シンパサイザー』という本を書いてピューリッツァー賞も取って、今はたぶん中堅か、アメリカでもトップくらいの人になったんですね。そのひとは南ベトナム出身なんですが一九七五年にボートピープルで逃げて家族でカリフォルニアに移住したというひとで。僕より年下なんですけど、コウジ、おまえは日本人だと思ってるかもしれないけど、違うぞと。ロサンゼルスの空港に一歩降り立ったとたんに移民だから、移民として生きるんだと。

　それまではサリンジャーとかフィッツジェラルドとか、あとカポーティとか、王道なのがかっこいいと思ってたんですけど、実際に行ってみたら全然違う。クラスメートもラティーノとかアフリカから亡命してきたひととか、それからアジアから逃げてきたひととか、韓国の孤児院から連れてこられたひととか。このひとたちのおもしろさとはなんなのか考えると、これは世界文学としか言いようがない。学校で習ったアメリカ文学史みたいなものが崩壊して、個別の人が目の前にいる。

たとえばナイジェリア出身のクラスメートがいて、政府を批判する演劇をやったら捕まって五年ブチ込まれて、甲状腺がやられちゃって太って、痩せられないんだよとか言ってる。で、なんでアメリカに来たのか聞いたら、ロンドンで先生をやってたんだけど、ある日、自分のアパートの周りが警察に囲まれて入れなくなっていた。どうしたんですかって訊いたら、おまえのアパートの下の階の、ちょうど同じ位置の部屋に住んでいる黒人の男が殺されたんだと。あの部屋に戻ったら人違いだと気づかれちゃうので、そのまま手続きしてアメリカに亡命してきた。

今はアメリカで作家をやってるんですけど、「アフリカで捕まったら十年食らうとかあたりまえだよ?」みたいな話を聞いてるうちにすべてが崩壊してきて。

椹木　うん。

都甲　人がいて、人生があって、その中で喋ったり飯食ったりしてる流れとして文学作品を書くというのがあって、それを読んでどう思う?と言われると、それを批評する言葉なんて全然ないんですよ。おれはこうやって生きてきたけど、それに対してどう言うの?って本人に目の前で言われるというのが続いて。そういうひとが自分の体験を考えたり感じたり書いてる現場に一緒にいて、これはなんて呼べばいいのかと思ってる中で、日本に戻ってきて教えだしたら、世界文学みたいな言葉が入ってきて、そういうふうに理解すればいいのかなと。それなら日本でアメリカ文学、英語を使って教えるというのが、別に日本で日本人で日本語で日本文学を教えるとかいうこととは違っていてもいいんじゃないかなって思いました。

椹木　すごくよくわかりました。つまりここで言ってる「世界」というのは、従来であれば英米文学があったり、ドイツ文学があったり仏文があったり、大学の専攻みたいにわかれて、国民国家の形成とつながっていた。それが現状はそうはなっていないので、やむなく上位概念として「世界」を使うようになった、ということではないのですね。

都甲　上位概念というより、呼び名がないから言ってるだけで、実際には個別にものすごく違うという感じなんです。

椹木　世界という言葉はユニバーサルということではないと。

都甲　全然ユニバーサルじゃないですね。

椹木　個別の多様性をユニバース化する、ひとつに束ねるという意味で「世界文学」というのがあるのだとしたら、それはむしろ細部を見えにくくしてしまいますよね。

都甲　そうではなくて、ほとんど共通性がないような個別なものにぶち当たって、でもなんかわかる。それは誤解かもしれないし、他の人が同じようなわかりかたをするとは限らない。でも「なんかわかる」感じは揺るがせられないよね、というような感じです。イマヌエル・カントの「道徳律はユニバーサルです」みたいなやつじゃなくて、急に知らないところの人が言ってる話が自分とつながっちゃう、みたいな。

　日本人同士だからって気が合うわけでもないし、カリブ海から急に来たひとと変に気が合う時があったり。

椹木　世界文学の「世界」という言葉が何を示してるのかが前からわからなかったので、今の話を聞いて非常にわかった気がします。かなりゆるい概念なんですね。

都甲　めちゃくちゃゆるいと思います。

椹木　随分前に僕が美術批評を始めた頃、ワールド・ミュージックというのが流行っていて。

都甲　坂本龍一っぽいやつ。

椹木　か、どうかはわからないですけど（笑）やっぱりロックミュージックというのはアングロ・サクソン系の白人のものだったので、それに属さない、国に縛られないような音楽を束ねる概念として「ワールド・ミュージック」というのが出てきた。僕はそのワールド・ミュージックという言葉がなんとも抽象的で違和感があった。

当時僕はハウス・ミュージックというシカゴのガレージで始まったような、もっとずっといかがわしい音楽に惹かれて、そっちのほうに世界を感じたんですよ。だからワールド・ミュージックという言葉で多くのカルチャーを束ねちゃうやりかたはどうも釈然としなかったんです。それとは明確に違うものだということですね。

都甲　どっちかというと、ヒップホップみたいなものですね。ジャマイカで音楽をやっている悪い感じのひとたちがニューヨークに来てわけのわからないことをやっていて、「なんだアイツら」って蔑まれながらだんだん天下を取っちゃって、でもいまだに白人の親たちは「あんなふうにはなるな」「ちゃんとズボンを上げて履け」って言ってるみたいな（笑）。

ワールド・ミュージックが流行ったときは、僕もちょっと記憶がありますけど、けっこうお行儀がいい感じでしたよね。マーケティング的な感じがした。むしろ、下からの勝手なめちゃくちゃなものがいいですよね。ハウスだって黒人だったりゲイだったりする人たちが勝手に安い機械でやってるみたいなやつですよね。

椹木　そうですね。見よう見まねというやつです。

都甲　勝手に変な人が文学と言い張ってて、読んだら意外とおもしろいんだけど、でも変っていう。

椹木　世界という言葉については今の説明を聞い

てよくわかってきましたけど、それでもなお文学ではあるわけですか？　つまり、それだけ細部が入り乱れる価値観の相対化みたいなことが起こって、それでも十九世紀くらいに確立された概念としての文学という範疇には収まると。

都甲　うーん、言葉がないんだと思います。敢えて言うと「書かれたもの」としか言いようがない。昔風の、日本だったら明治時代に書かれたようなものを書いてる人から、前衛的ってわけでもないけど何言ってるかわかんないみたいなところまで、幅があるのをすべて「文学」というのは暴力的な感じもするんですけど。言葉で作られた、実用性はそんなにない作品、としか言いようがないんじゃないですかね。

文学のアウトサイダー・アート

椹木　今日のイベントの告知ページにいくつか今日のお話の伏線みたいなものが書かれていました。その中で、アウトサイダー・アートみたいなものが文学でもあるんだろうかみたいなことが書かれていたので、そういうことでいうと「インサイダー」がないと「アウトサイダー」もないので、概念自体の問題があるといえばあるんだけれども、アウトサイダー・アートと言われている作者たちの、よくわからないところ、動機が不明とか、あるいは美術史上の位置づけがわからない。そういうものに近いですかね。

都甲　それも人によって違うと思うんですけど、たとえば坂口恭平が書いている言葉で作られた彫刻みたいなもののほうに文学を開いていきたいと思っていますね。ご存じないですか、坂口恭平が最近書いている、誰が読んでも意味が一行もわからない小説とか。そういう感じの方向に開きたいなと。

一昔前の、「上手いよね」とか「文学をわかってるよね」とか「深いよ、人の気持ちわかってるよね」みたいな王道・主流でもなく、ヌーヴォロマンみたいなアヴァンギャルドでもなく、「書きたい人がただ書いたもの」を、小説と呼んでみたらどうなんだろうか。

　アヴァンギャルドがあった時代との大きな違いは、単純な進歩史観の議論がもはや成立しないというのがあると思います。小説だと登場人物がいて、起承転結みたいなあらすじがあって、時制があって一人称とか三人称とかがあって、そういうのをはずしたらアヴァンギャルドですよね、みたいな単純な話ではないんです。わかりやすいし一文一文は意味がわかるのに、全体としては何言ってるかまったくわからないみたいな方向に文学が行ってるような気がすごくしていて、それを文学といっていいのかわからないんですけれども。

椹木　美術の世界でいうと、最近よく出てくるのが、「アール・ブリュット」という概念です。ジャン・デュビュッフェという画家が第二次世界大戦後に、いわゆるヒューマニズムの没落を実感した。作品とは内面の表出で、それに署名して作家だというようなやり方は、従来の人間像に基づいていたわけだから、これだけの戦争のあとには、違う芸術を考えていかなければいけない。

　作者の意図とかが不明な、あるいはやむにやまれず描き続けているだけで発表する意図もないし、人に見せたいとも思ってないような、作品ではないけれどもなんらかの表現ではあるものが、たとえば監獄や精神病院の中で描かれている。そういったものをピックアップしていって、混ざりものないアート、生のアート、ブリュットは生ビールの「生」ですね。生（き）のままのアートと呼んで、対抗概念として出してきたのが元です。「混ざりもの」とは要するに教育です。

都甲　そうですね。

椹木　学校で美術史や美学を勉強する。技法を学び習得する。それら全部が混ざりものだとしたら、いっさい混ざりものがない状態で人間が作った何ものかのほうが本来のアートなんじゃないか。それはもうアートと呼ぶことはできないからアール・ブリュットと呼ぶことにする。それがアウトサイダー・アートと言われているものの起源ですね。

　イギリスのロジャー・カーディナルという批評家が英語圏でそれを訳す時に、従来のインサイダーのアートに対してアウトサイダーたちの作ったものという意味でアウトサイダー・アートとした。

　それが日本に九〇年代に入ってから紹介されて、アウトサイダー・アートという言葉が普及しかけたんです。そのときにはアウトサイダー・アートに入ってる人たちはバラバラで、カルト宗教の教祖みたいな人とか、死刑囚とか、アウトロー的な人がたくさん入ってたんですが、ある時から、とくに日本の場合ですけれども、アウトサイダー・アートという言葉があまり使われなくなってきて、アール・ブリュットという言葉のほうが頻度が高くなった。いまはアール・ブリュットという言葉がほとんどを占めるようになったんですね。

　そこで喪われたものがあって、今日本でアール・ブリュットという言葉に込められているニュアンスは、混ざりものがないから転じて、純粋な芸術という概念です。

都甲　ああ。

椹木　無垢の芸術というほうが近いですかね。混ざりものがないという意味ではそうなんだけれども、知的障害者施設の利用者の人たちが描いた絵は、教育や理論に汚されていないから純粋なもので、感情や表現の真理に近い。それをアール・ブリュットと呼びましょうとなってしまった。
　当然、無垢なら、死刑囚とかは入ってこないですよね。だから結局、日本ではアール・ブリュット＝知的障害者の絵みたいになってしまい、本来のものとはかなり変わってしまった。もちろんオリンピックとパラリンピックの影響があって、オリパラは文化の祭典でもあると、オリンピック憲章にあるわけだから、それに付随する形で文化を支えていかなければならないということで、国が一生懸命アール・ブリュットを下支えしている。

都甲　あ、そうなんですか。

椹木　そういうことで言うと、世界文学と言われているものは、日本で言われるアール・ブリュットというよりは、アウトサイダー・アートに近いのかな。

都甲　そういう気がしますよね。

椹木　アウトサイダー・アートの代表的な作家としてよく名前が出てくるのがサイモン・ロディア。ワッツタワーという――

都甲　ワッツタワー、行きました。

椹木　行ったんですね！　ロサンゼルスの、むかしワッツ暴動があった郊外にあるタワー。あれは建造に三十年以上かかってるんじゃなかったかな。シカゴで七十歳超えて、ほとんど孤独死だったヘンリー・ダーガーも四十年くらいかかって物語や絵を描いていた。

　あとはフランスのオートリーヴにある、シュヴアルという人が作った有名な宮殿。あれも三十五年くらいかかっている。いずれも発表する意図はなく、ただ作っていた。シュヴァルに至っては自分の墓を作っていたんですが、あまりに異端ということでそこに永眠することは許されず、さらに何キロか先にもう一度作ってから死んでそこに埋葬されました。

都甲　へえ。

椹木　従来の芸術、近代芸術にはおさまらないものがどんどん増えている。だけど国がそれを統制しようとするから、非常に限定された概念にまとめられてしまう。最近はそのへんの綱引きが激しくてですね。

都甲　統制したがる理由は怖さだと思います。わからないものって怖いじゃないですか。文学だったら、坂口恭平でも、中原昌也でも、何やってるんだかさっぱりわからない（笑）。そして怖い。怖いものを避けたいとか、わかったつもりになりたいという社会の圧力はあると思います。

アウトサイダー・アートの価値判断

椹木　このところ僕は、『アウトサイダー・アート入門』とか『反アート入門』といった本ばかり書いて、もっぱらアートに反してきました（笑）。この『感性は感動しない』もこれまでの美術教育に対してアンチの立場ですし。

都甲　そうですよね。

椹木　そういうこともあってか、知的障害者施設の利用者が絵を描くことについてどう考えていくかというテーマで施設から呼ばれることがあります。そういうところに僕のような美術批評家が呼ばれるひとつの背景として、アール・ブリュットをどう評価するか、という国の考えがあります。障害者文化芸術活動推進法というのができたんです。いままで障害者施設の運営は厚生労働省の管轄だったけれども、そこに文化庁や経済産業省が関わってくる。

今まであまり注目されなかった表現の領域を広く世に知らしめていくという意味ではいいんですが、そこに価値判断ということが出てきた。今まではＡさんが描いたものとＢさんが描いたもの、どっちが優れているというのはなかったけれど、障害者文化芸術活動推進法はそこを判断していこうと肩を押している。

つまり、売買をしようとしてるんです。今まで福祉の一端として行われていたところに商品の概念を捻出しようとしている。

都甲　カズオ・イシグロの『わたしを離さないで』みたいですね。クローン人間を作ってる施設でアート作品を作らせて、それを売ってるという設定です。

椹木　現場の人は福祉としてやっていたものに、評価とか市場の概念が入る。それは自分たちが今までやってきたこととかけはなれているので、そうは言われても、目の前のこの子が描いたこれを、どう評価していいものかがわからない。それで僕のところにも話が来るんだと思います。

　学校教育の場では、小学校の図工から始まって、美術もずっと評価されてきてますよね。美大にも入試があって、評価をされて入ってくるわけだから、常に価値概念がつきまとっている。

　それにならえば知的障害者の描いた絵もある程度は評価できる。だけど、それをやってしまうと、前と変わらない作品になっちゃうんですよね。

都甲　そうですよね。

椹木　で、タイトルと作家名がついて、展覧会に出て。

都甲　買う人が出てきて。

椹木　アール・ブリュットやアウトサイダー・アートが対抗概念として持っていた力が全部、従来の美術に吸い取られてしまう。

　心底わけのわからない、不安になるようなものはそういうふうにはできないので、本当におもしろいものがかえって見えにくくなってくるという逆説があります。だいぶ前に映画となった話になりますが、今村花子さんという女性が、施設では絵を描くんです。それもなかなかおもしろい絵ではあるんですが、本当にやりたいことは家に帰ってからやるんです。自分の食べたあとの食べかすを畳の上に並べる（笑）。それだけなんですよ。

都甲　それだけ！　へええ。

椹木　それを毎日やってる。毎日だから膨大な量になるんです。汁が出て畳が腐るし、家がどんどん傷むから、普通なら問題行動になるのでやらせないところなんですけど、花子さんのお母さんはそれがおもしろくてしかたなくて、写真に毎回撮るんです。結果的に今村花子さんが食べ残しを並べた、表現なのか何なのかもわからないものを、お母さんが写真に撮って、それだけが残っていくんです。写真だから、誰が作者かもわからないし、そっちのほうがアール・ブリュットなんじゃないかと思うんです。

花子さんは確かに食べかすを並べたかもしれないけれども、それを写真で撮ってるのはお母さんなので、写真の著作権はお母さんにある。お母さんと花子さんとの境界があいまいなんですね。さらに言うと、そういうことを許してるお父さんというのがいて（笑）。

都甲　確かに（笑）。

椹木　先に触れたその様子を撮った『花子』という映画があるんです。アウトサイダー・アートに関して佐藤真監督が撮った『まひるのほし』と『花子』という二つの映画があって、『まひるのほし』は施設利用者の表現に焦点をあててるんですが、『花子』は家庭に焦点があたっている。花子は毎日食べかすを配置して、お母さんが撮る。それを、お父さんが、まあいいだろうと許している、そしてさらに、微妙な距離をとっている姉もいて。という家庭の関係が映画に撮られていて、そこには近代芸術のような作者はいないんです。

お父さんは、畳が腐ったら代えればいいんだし、とにかく花子が楽しそうにやってるんだから、まあいいよと言っている。その関心から観ていくと、実は主役はお父さんなんですね。そういうところが、従来通りの作品とか作者というと、見えなくなってくる。

立派な美術館に行って最先端のアートとかを観なくても、そういったもののほうが、ものを書いていく上でも考えていく上でも、ずっと刺激があると最近は思っています。

国内の市場規模

椹木　もともと現代美術の場合は日本文学と違って、国内には市場が全然ないんですよ。文学はやっぱり文壇というのもいまだにある。

都甲　文壇バーとかもあって。

椹木　ベストセラーも出て、そこで経済的な活動が行われている。日本画や洋画にはかつては画壇と呼ばれる世界がありましたが、今はもう本当に縮小している。でも、現代美術はもとからないんですよ。欧米のようなコレクターもいないし。今でこそ森美術館や金沢21世紀美術館もできたけど、二十五年くらい前にはそれもなかった。村上隆も奈良美智も最初は出稼ぎですよね。海外では評価されていても国内ではなかなか評価されない状況がずっと続いていた。

　文学の場合はやっぱりデビューは国内じゃないですか。新人賞があり、芥川賞とかがあって、だんだん上り詰めていく構造がある。そこがいちばん大きな違いかなと。

都甲　そうですね。そこへいくと、たとえば韓国は出版業界も文学業界も、国内では支えられないくらい小さいんです。それで政府が主導して、外国語に全力で翻訳してます。韓流のアイドルと一緒のシステムで。

椹木　国の政策としてやってるんですか。

都甲　海外で売れなかったら維持できないから。国がやってるからってダメというわけでもなく、変な作品も日本でも出るようになりました。たとえばこういう感じなんですよ。ソウルの坡州（パジュ）で、コンクリート打ちっぱなしのお洒落な家に住んでいるカップルが昔話をしている。小学校にはドラえもんのお弁当箱を持ってったよね、みたいな話で盛り上がってたら、急に北朝鮮から逃げてきた兵士がお話に登場して、近所に銃を隠すんです。地元の小学生がそれを探り当てて乱射したらそのカップルに当たって彼氏が死ぬ。

椹木　えっ？

都甲　その心の傷を十年間癒やすという話（笑）。『アンダー、サンダー、テンダー』という本なんですけど。

椹木　でも実際に起こりかねないですよね。

都甲　どう考えていいかわからないまま読んでるとすごく気持ちよくなってくる。自分の中で、世界文学ってこういう感じかなと。アウトサイダー感強いですよね。

椹木　そういうのが当たり前になるような方向に世界は突き進んでるんじゃないでしょうか。

都甲　だったらいいなという感じで、急にまとめてみました。長時間お付き合いいただいてありがとうございました。

＊2　二〇一八年刊行

第6話

世界の狭間

朝食は毎日同じ時間にとりたい。たとえそれが旅先でも。学会で一週間ほど滞在していたニューヨークのホテルの朝食が始まるのは七時十五分だ。とはいえ、ラティーノの担当者がときどきは寝坊して五分ほど遅れることもある。それでも僕はソファに座って、じっとカウンターが開くのを待っている。

出てくる食べ物はと言えば、大したことはない。シリアルやベーグル、そしてフルーツ、ヨーグルトで、温かいのは自分でいれたコーヒーや紅茶ぐらいか。でもときに氷点下になる朝、わざわざ近所のカフェまで歩いて行くのも面倒くさい。というわけで、便利に利用させてもらっていた。

何日目だろうか、僕と友人が座っていたテーブルの席に、ジムと名乗る中国人の男性がスッと座ってきた。聞けば彼は昨日、僕らの発表を聞いていたという。どうもありがとう。そして何気なく会話が始まった。

そのときは、その会話が何日も続くとは思っていなかった。ただ旅先での軽い世間話、と思っていただけだ。けれども次の日もジムは気づけば僕のテーブルに座っている。時間をずらせばいいのに、こっちも半ば意地になって七時十五分にはカウンター近くにいる。もちろん向こうもそれを察知していて、だから結局は捕まってしまう。

こうして、ジムの身の上話が始まった。今の年齢は五十四歳、中国で生まれて、カリフォルニア大学バークレー校の大学院に入学したのは一九八九年、天安門事件の直後だった。もともとは英文科でシェイクスピアなどをやっていたが、徐々に中国の演劇のことも研究するようになった。とはいえ、英米の古典を中心に幅広く教えている。

実はアメリカ各地の大学で教えていた二十年間、一度も専任は取れなかった。ようやく専任にありついたのはほんの数年前、中国の大学が初めてだ。妻はバークレーの専任なので、今はアメリカと中国を、ちょうど半年ずつ往復している。

上海に住む両親も歳を取ったし、中国に帰る頃かと思ってね。でも別に、アメリカでの生活も不満はなかったよ。ああ、中国の学生はマルクス主義の勉強はみんな嫌がるよね。別にマルクス自体は悪いものじゃないけど、強制されて勉強すると大体嫌になるよね。

今まで全然知らなかった人の人生三十年分の重みを、わりと軽い口調で、しかも続き物で聞かされて、僕は圧倒されてしまった。たぶんそれは、僕自身もかつてアメリカで英文科の大学院に通っていて、この国で教える人生もあるんじゃないか、と一瞬は思ったことがあるからだと思う。

彼の内側に入って想像する。バークレーはアメリカでもほとんどトップの大学だ。だからジムは、おそらく中国では驚くほどの天才少年だったのだろう。そしてその誇りを抱いて、英文学の中で中心の、シェイクスピアを専攻する。大学院でも優秀な成績をおさめて卒業となる。

だがそこで人生は暗転する。シェイクスピアの専門家なら、白人にもいくらでもいる。そして同じ実力なら、アメリカの大学では中国人ではなく、白人が採用されてしまう。もちろん中国文学や演劇に専攻を変えていたら、すぐさま専任は取れていただろう。だがそもそも中国に興味があったわけではないし、そんな理由で専攻を変えるのは、何よりプライドが許さない。

そうこうしているうちに、おそらく中国研究をやっていた妻は良い大学の専任になる。自分は助教授として採用はされるものの、五年後の査定をどうしても突破できない。自分のほうが実力はあるのに、人柄も良いのに、気づけば別の白人が准教授となっている。アメリカでは助教授は任期付き、准教授以上は終身で、天と地ほどの差がある。さて、他の大学に移るしかない。

だんだん歳も取ってくる。安い給料で、広いアメリカを彷徨いながら何度も一から生活や人間関係を作り直すのに疲れた。ようやくプライドを捨てて中国演劇の研究もやってみるが、あまり気乗りがしないから評価も出ない。どうしてこんな風になったのか。

もちろん、大学院を出てすぐ中国に戻れば、良い大学のポストは確実だっただろう。でもそれだけは嫌だった。それはなぜかわからない。政治的な理由だろうか。でもそれよりも、アメリカ人のどんな級友より優れていた自分が、なぜ中国に帰らなければならないのか、と思ったからではないか。

アメリカの大学院にいると、優秀な成績で卒業して、英語で論文を書き、学術雑誌に載せて、アメリカの大学で教えるのが一番の成功のように思えてくる。それはちょうど、自動車教習所に通っていると、普通免許より中型、大型を持っている人のほうが偉く感じられてくるのと同じだ。そんなもの、外に出てみれば通用しないことはすぐにわかるのに、中にいるとわからない。

今、ジムは中国の大学で教えながら、半ば安堵し、半ば自分に失望している。そして天安門事件のあのとき中国を出たまま、魂の半分は中国に戻れず、残りの半分はアメリカにも受け入れてもらえずに、未だ世界の狭間を彷徨っている。もし僕が大学院生のとき、日本に戻ると決断していなかったら、ひょっとして彼みたいになっていたのかな、と思うと切なくなった。

ジムの話を聞いて、ウェイン・ワン監督の映画『千年の祈り』を思いだした。ウェイン・ワンというと、ポール・オースター作品を原作とした人情味溢れる作品『スモーク』なんかが日本でも人気だが、この『千年の祈り』も心の深い部分が揺さぶれる佳作だ。
アメリカの大学図書館で働いている娘のところに父親が訪ねてくるところから映画は始まる。かつてロケット科学者だった彼がやってきたのは、妻を亡くして淋しかったからだけではない。娘は離婚し、彼女の夫は中国に戻ってしまった。いったいどうやって暮らしているのか。父親は娘が心配でならなかったのだ。

　娘のアパートに落ち着いた父親だが、親子の会話は弾まない。妻を失ったあと始めた料理で娘をもてなしても、あまり食べてはくれない。いつも淋しげで、淡々と仕事に出ては帰るだけの日々で、友人もいるようには見えない。一体何が楽しくてこの国にいるのか。父親には娘が理解できない。

　日中、やることもない父親は近所の公園に出かけ、そこでイラン人の婦人と出会う。彼女はアメリカで医者となった息子を頼って、自由のない国を出てここに来たのだ。あまり英語の上手くない二人だが、中国語とペルシャ語を使っての会話でも、互いの感情や思いは良くわかる。こうして、二人は毎日のように会い、理解できない言語での会話を楽しむ。

　どうして娘とは中国語が通じるのに、心は通じ合わないのか。そしてどうして何を言っているのかもわからない婦人とは気持ちが一つになるのか。やがて帰りが遅い娘を心配して外に出た父親は、娘の恋人を見てしまう。彼はロシア人で、国に妻子を残してきていた。

なぜ何も話してくれなかったのか。父親は娘を詰る。だが娘は反撃する。お父さんだって話してくれなかったじゃないの。国家機密だから何も話せないなんて言って、本当はロケット科学者じゃなかったんでしょ。みんな知っていたのよ。

実は彼は、所内のキーパンチャーの女性と仲良くなりすぎ、不倫疑惑をでっち上げられて、自己批判を迫られたことがあった。けれども妻と彼女の名誉を守るために拒絶し、結果科学者を解任され、定年まで事務員にされてしまっていたのだ。父親と娘は人生の失敗を曝け出す。弱さを見せ合うことで、ようやく互いを許し始める。

ロケット科学者になる。外国で働く。こうしたことは、端から見れば輝かしい。けれども自分のこととなれば、日々の生活があり、問題を一つひとつ解決しながら、地道に暮らすだけだ。母国の人々と切り離されて、新たな人間関係に縋りながら、それでも愛を求めるしかない。

この映画にはイーユン・リーによる原作がある。そして文学の言葉は、登場人物の内面により深く入っていける。たとえば恋人に英語で電話している娘の姿を見て、父親はこう思う。「彼には娘の態度が理解できなかった。彼女の声は鋭すぎ、大きすぎ、下品すぎて、彼の耳にはとても不快だった。一瞬、まるでまったくの他人の裸を偶然見てしまったように感じられた。自分が知っている娘ではなく」（拙訳）。

別の言語で話すとき、人は別の動きや声色、感情を帯びる。そのとき、記憶や人格すら、別の言語で彩られている。特に中国語と英語というまったく異なる言語なら、娘が他人に見えてしまったとしても無理はない。だがそれは、中国語を話す娘が本物で、英語の娘は偽物、ということにはならない。英語を話している彼女もまた異国の地で、必死に新たな人格を作り上げてきたのだ。けれども父親にはそのことがわからない。

　その後の親子の会話はこんなふうだ。

「ちがうの、父さん。私たちは英語で話すけど、そっちのほうが楽なのよ。中国語ではうまくしゃべれない」
「そんな言い訳バカげてる！」
「父さん、ある言語で自分の感情を表現せずに育ったら、別の言語を学んで、その新しい言語でどんどん話すほうが簡単なのよ。その言語のおかげで新しい人間になれるんだから」（拙訳）

　女性はお淑やかで控えめであるべき、という東洋風な押しつけや家庭内でのタブー、そして政治的な事情も相まって、娘は中国語では上手く話せないと感じてきた。ただ情報を伝達することはできても、深い感情を表現することはできずに来たのだ。だからこそ、英語によって彼女は解放される。いくら父親が、今の彼女の暮らしは淋しいものでしかない、と客観的に語っても、主観的に感じる解放感を彼女は手放せない。

そして同じ理由で、作者であるイーユン・リーはアメリカに住み、英語で作品を書き続けながら、自作の中国語への翻訳を拒絶し続けるのだろう。彼女は中国に戻ることなく、英語で中国を描き続ける。そしてジムは中国と米国の狭間にい続ける。どちらが上と言うこともない。ただ現代において、そうした場所から文学が生まれているというだけだ。

第7話
温もりと尊敬

　人は変われるんだ。ネットフリックスのシリーズ、『クィア・アイ』を見ていて僕は衝撃を受けた。シーズン4の第二話「デキる身障者」でのことだ。この回の主人公はウェスリーで、カンザスシティーの東側で育った。ドラッグや銃が蔓延した黒人居住区で、彼はワルになっていく。盗みや麻薬の密売に手を染めるようになったのも、この環境では自然なことだった。

　ある日決定的なことが起こる。路上で何の理由もなく、知り合いの知り合いに銃撃され、腹に五発の銃弾を食らった彼は、そのまま二年間病床を離れられなくなってしまう。日に数時間しか意識がない状態の彼を献身的に看病したのは母親のドーンだった。ようやくウェスリーは回復するが、彼の下半身は永久に動かない。

　だが彼はめげない。体を鍛え、健康な食事をし、徐々に自分を鍛え上げる。「Disabled but Not Really」（デキる身障者）という団体を立ち上げ、寄付を募って他の障害者たちの支援に乗り出す。そしてジムで彼らに筋トレを教える。彼の目標はこうだ。障害者は健常者とは異なっている。でも下の存在ではない。異なっていてもいいんだ、自分らしくいていいんだ、ということをみんなに感じさせたい。

ここまででも、わりと奇跡の物語のように思える。けれども彼だって完璧ではない。家は使いにくく、服は適当で、髪は撃たれた日以来、一度も切っていない。そこにファブ5の五人のゲイたちが乗り込んで変身を支援する、というのは他のエピソードと共通しているが、そこには大して驚きはない。センスのいい人たちを投入してお金をかければ、十分に実現できるだろう変化でしかないからだ。

だがここからが違う。ファブ5の一人、黒人のカラモの導きで、ウェスリーはモーリスと会って話すことを決意する。モーリスとは、ウェスリーの腹に五発の銃弾を撃ち込んだ当事者だ。五年の刑期を終えて、刑務所から出てきたばかりのモーリスが待つカフェに二人は乗り込む。

もちろんウェスリーの表情は硬い。自分を本気で殺そうとした人物と会って何を話したらいいのか。しかも自分のせいで五年も食らって、ひょっとしてまだ逆恨みしていないだろうか。万が一銃を隠し持っていたらどうするのか。ウェスリーの顔に緊張が浮かぶ。ひょっとしたらその向こうには、恐怖が隠れているかもしれない。

モーリスが訥々と話し始める。過去も今も、ウェスリーに悪い感情を抱いたことは一度もない。ただあのころストリートではみんな銃で武装していた。そして他の人物と口論して感情を高ぶらせたウェスリーが、なぜか自分のほうに近づいてきた。ウェスリーと言えば札付きのワルだ。ひょっとしたら腹いせに自分を撃ってくるかもしれない。撃たれるぐらいなら先に撃ってしまえ。そして自分は引き金を引いたんだ。

　モーリスもまた強い男ではなかった。自分がやられるのではないかという恐怖に突き動かされて、気づいたら何発もウェスリーを撃っていた。その話を最後まで聞いたウェスリーは語る。自分はあんたに撃たれて感謝している。あの銃撃のおかげで自分は変われた。そして本当の自分を見いだせた。そもそも、同じ状況ならきっと自分もあんたのように行動していたと思う。だから謝る必要なんてない。

　それだけではない。こうも語った。アメリカ社会の中で、我々黒人は互いに協力なんかできない人間だと思われてきた。だからこそ、今後なにか一緒にやることがあったら力を出し合って協力しよう。これからあんたも何かに挑戦していくんだろう。俺はあんたの挑戦を応援している。今日は会えて良かった。こう言ってもらえたモーリスの体から緊張が解けるのがわかる。彼もまた、ウェスリーの怒りを恐れ、彼に攻撃されるのではと案じていたのだ。そして二人は握手をする。

　この場面を目にして、僕はものすごいものを見たと思った。人は変われるし、どんなに憎い敵も許すことができる。いつからでも、今からでも生き直すことができるのだ。どうしてこんな精神的な力を三十歳のウェスリーが持てているのか分からなかった。苦しみ続けた七年間の間に、彼の心はそんなにも成熟したのだろうか。

もちろんキリスト教の教えはベースとしてあるのだろう。けれども、彼が信者だから人を許せたのだ、とは思えない。正しいことを牧師に百万遍言われたって、自分が変わらなければ結局は何にもならない。ただ一つ言えることは、彼の許しや笑顔や強さは多くの人に伝わって、世界を確実に変えるだろう、ということだ。

この番組を見て、エドワード・Ｐ・ジョーンズの短篇「マリー」を思いだした。主人公のマリーはワシントンＤＣの黒人居住区に住むお婆さんだ。田舎から列車で出てきて、途中下車したこの街に住み続けてもう数十年が経つ。その間、彼女はメイドなどの職をこなしてきた。今は一人暮らしで、生活保護に頼っている。

だが彼女の生活は腹立たしいことばかりだ。街を歩いていると、財布を盗もうとして若者がポケットに手を入れてくる。もちろん誰も助けてはくれない。仕方がないから、隠し持っていたナイフで彼の手に切りつける。この街ではタフでないと生き抜けない。

あるいは社会保障局から呼び出しがあってもそうだ。無視しては生活保護が打ち切られてしまうかもしれないから、彼女はわざわざバスに乗って社会保障局の事務所まででかける。だが予定の時間を過ぎても、いや、五時間過ぎてもまだ順番が来ない。そしてようやく、今日は担当の人が休みだとわかる。だからまた別の日に来なくちゃならない。

いったい、社会保障局は彼女をバカにしているのか。別の日、なんど訊ねても「今日は混雑しているので」と言い続けて隣の職員とおしゃべりしている窓口の女性を、マリーは平手打ちにする。女性の叫びに警備員が駆けつける。だが相手が老婆では取り押さえられない。

しかし、マリーの心境に変化が起こる。きっかけは黒人のために設立されたハワード大学からやってきた学生だ。彼は黒人の一般の人々の人生をテープレコーダーに録音して調査しているという。私みたいな平凡な人間に話すことなんてないよ。一度は断ったものの、彼のしつこさに負けてマリーは語り出す。

南部の田舎で両親に、ワシントンはアメリカの中心で、あそこでだけは理想も現実になると教えられて育ったこと。やがて家政婦になるために列車に乗ったが、どうしてもワシントンを一目見たくて途中下車したこと。戻ってみたら、車内に置いた荷物ごと列車が消えていたこと。そしてそのまま数十年をこの街で過ごしたこと。

彼女は娘時代の希望やこれまでの苦労、出会った人々のことなどを、自分の声に載せて思いだす。その話を彼女の家に何度も通って録音してくれる学生に、心を動かされる。ああ、私の人生にも意味はあったのかな。最後に学生は、録音テープのコピー一式とテープレコーダーをマリーにくれる。ちょっとだけ聞いた彼女は、クローゼットの奥深くに大事にしまい込む。

殴ってしまった窓口の女性に謝ろうとして、名刺に載っていた番号に電話をすると、がやがやと子供の声がする。ああ、あの人も家では若いお母さんなんだ。どうして苦労している女性をぶってしまったんだろう。あまりにも申し訳なくて、結局は謝ることさえできず、マリーはそのまま電話を切ってしまう。

そして女友だちの恋人、カルーンの死を女友だちと一緒に看取る。亡くなる前に急におしゃべりになったカルーンの声に耳を傾けながら、彼の手をじっと握る。やがて彼は安心したように息を引き取る。こうした一つひとつのことを通して、不満ばかりだった彼女は人に与えられるようになる。

この短篇を読んで、僕は激しく心を揺さぶられた。もちろん、奴隷制から現代にいたるまで差別は続いている。その告発と克服は常に続けられるべきだ。だがそれだけでは足りない。我々は日々を生きていて、その中では絶対的に温もりと尊敬が必要なのだ。それをマリーに与えてくれたのはハワード大学の学生だった。

見知らぬ人物から受けとった気持ちを、今度はマリーが窓口の女性やカルーンに手渡す。こうして、ほんの身近なレベルで変革が広がっていく。この短篇を読んで、ようやくエドワード・P・ジョーンズが作品で何をやっているのかがわかったような気がした。

九年ほど前に彼のピュリッツァー賞受賞作『地図になかった世界』（白水社）を読んだのだが、

そのときはピンとこなかった。それもそのはずで、実は黒人奴隷を所有していた黒人がいた、という実話に基づいた長篇で、黒人の少年が白人奴隷主の息子として育てられ、黒人差別を叩き込まれて成人後、自身も奴隷主になる。

確かにそんなこともあったんだろうし、悪いのは白人たちではなく、奴隷制という社会制度そのものだ、という批判は一定の意味があるだろう。でも自分も黒人であるジョーンズがわざわざそんな作品を書く理由がよくわからなかった。これでは、歴史的に巨大な罪を犯してきた白人たちの免罪にしかならないのではないか。

今思えば、簡単に分かったつもりになるな、とジョーンズは言いたかったのだろう。黒人だって運命の偶然によって極端に悪い存在にもなれるし、白人も差別と闘うことだってできる。もちろん歴史や社会の状況は強大だが、それでも人間はそうした環境の言いなりではない。

いつでも気づけるし、いつでも変わることができる。そしてその変化を周囲に分け与えることもできる。社会の大きな物語と日常の小さな物語を決して混同するな。もちろん小さな物語は弱い。けれども固有の強さを持っている。そして文学とは、そうした小さなものをすくいとるメディアではないか。

黒人をめぐるドキュメンタリーと文学、そしてヒップホップがここに来て僕の中でつながる。都会の片隅で、あるいは田舎の貧しさの中で、彼らは真っ当に生きること、人として正しくあることを激しく求めている。そうした彼らの姿から学ぶことは多い。

第8話

すべてのものに仏性あり

職場の近くで、よく行くカフェがある。たまたま通りかかって入り、そのままなんとなく気に入ってしまった。とにかく居心地が良いのだ。というと、丁寧なもてなし、なんてものを想像するだろうが、そんなものはない。調理からフロアまで店長が一人で切り盛りしているから、お水のお代わりは自分で汲みにいかなければならない。

それだけではない。ランチメニューは一種類だけで、だから店長と食の好みが合わない人は初めから入れない。それも野菜のカレー、フォー、カオマンガイと個性的で、インド・ベトナム・タイと国籍が移動していく。

でも僕は店長の料理が好きで、ついでに言うなら雰囲気も好きで、結局長いこと通っている。でも特に話をするわけでもない。ふだん人と話をする仕事だから、休憩中も話すと疲れてしまう。だから黙っている。でも、店長とお客さんの話は耳に入ってくる。

こないだは女性客と、タイの歌手について話していた。実際にタイの街で偶然コンサートで聞いて、気に入った人を調べてみると、かなり有名なバンドだった話、けっこうタイ音楽のCDを持っているという話。タイではとにかく美しい人が人気があるよね、という話。

確かにメニューには、その料理と出会った場所や作ってくれた人に関する短いエッセイが必ず添えられている。ということは、店長自身もバックパッカーなんだろうか。そういえば急に定休日以外に閉店したりしているし。

通っているうちに、居心地がいい理由がわかってきた。この店の中だけ日本ではないのだ。店長のペースはいつもゆっくりしていて、彼の体から発する緩やかなエネルギーに惹かれたお客が集まっている。外国人も多いし、日本人もいるが、みんな旅が好きで、日本のいつも焦り気味のペースはちょっと苦手な感じだ。

好きなのは、禁煙の掲示も、ここがトイレです、というサインも全部タイ語なこと。もちろん絵が描いてあるから大体の内容はわかるが、読めない。だから細かいことはわからない。いや、そんなことわからなくていいんだ、という気持ちになる。

ここで食事をしたあと、わざわざ壺に入っているザラメ糖をスプーンですくって熱い紅茶にいれ、なかなか溶けないなあ、と思いながらかき混ぜ続けるのが好きだ。そしてお茶を飲みながら、お腹がいっぱいで、もう何にも考えられないでいる時間が好きだ。

そんなことをしているうちに、自分の中でタイへの興味が膨らんできた。まずはあの、謎の言葉を少しでも読んでみたい。というわけで毎日三十分ほど、タイ文字を勉強し始めた。

これがものすごく意外なのだ。基本的にはアルファベットなのに、ヨーロッパのものとは全然違う。子音を並べて、その周りに母音やらアクセント符号やらが上下左右に付く。だから読むときには目がそっちに動く。つまり右から読んでいるのに、左に戻ったりする。

しかも字の形も意外で、アルファベットと似ている部分がまったくない。そのうえ字が互いによく似ている。一つの字に何カ所も小さな丸が入って、線が予想外のほうに延びる。おもしろい。

今まで何カ国語か勉強したことがあるので、発音はそこまで難しいとは思わない。でも字がおもしろすぎて夢中になった。なんでもインド系の文字だそうだが、ヒンディー語もベンガル語もやったことがないからよくわからない。

タイっていいな。で次に興味を持ったのがタイ文学である。とはいえ、僕が知っているタイの現代作家はプラープダー・ユンしかいない。というか、彼は直接見かけたことがある。以前何回か開催された東京国際文芸フェスティバルに招待されていて、パーティで一緒になったのだ。でもそのころは一冊も作品を読んでいなくて、なんとなく気後れして声はかけずに終わった。

いや、本は読んでいなかったけど、彼が脚本を書いた映画『地球で最後のふたり』は見たことがあった。主人公のキョウジは、バンコクの日本語図書館で働いている。そこに大阪でヤクザをやっている兄が逃げてくる。大変なことをヤラかして組長を怒らせてしまい、弟を頼って逃げてきたのだ。

だが結局兄は、刺客に射殺されてしまう。たまたま手に持っていた兄の銃で刺客を殺したキョウジは、二人の遺体を丁寧に包んで自分の家に隠し、そのまま知り合ったタイ人の女性にかくまわれ、彼女の田舎の家で奇妙な二人暮らしを始める。

潔癖なキョウジは汚い家を徹底的に掃除する。女性も腐った男関係を清算し、次第にキョウジとの未来を考え始めようとする。だが彼女は大阪のカフェで働くことになっていた。このままキョウジも日本に戻るんだろうか。

遺体を見に自分の部屋に戻ったキョウジのもとに、組長たちがやってくる。刺客を殺されたことを知って、彼を始末しに来たのだ。果たしてキョウジは無事に逃げ、女性と再会できたのか。あるいはここで殺されてしまったのか。

キョウジを演じている浅野忠信がとにかく良かった。しゃべり方が自然で、本当にそこで考えているようだ。しかも予想どおりの演技をまるでしない。ものすごくピンチな時でも、事情がわかっていないような顔をして、ちょっと笑ったりしている。その存在感はとても魅力的だ。

だが舞台はほとんどずっとタイなのに、タイの感じがまるでしない。なんというか、日本の

Vシネマやミニシアター系の映画を大量に見た人が、たまたまタイを舞台に映画を撮った感じ。監督はタイ人のペンエーグ・ラッタナルアーンだし、脚本もタイ人なのだから不思議である。

実はこの監督と脚本コンビにはもう一本作品がある。内容的には違うのに、ほとんど続編としか思えない映画『インビジブル・ウェーブ』だ。本作ではキョウジはマカオの料理人で、レストランのオーナーシェフに頼まれて彼の妻を毒殺する。実はその妻とキョウジは不倫関係にあった。

しばらく身を隠せと言われて、キョウジはクルーズ船に乗り込み、タイのプーケット島に向かう。船上で知り合ったのが子連れのノイという女性だ。二人は徐々に近づく。プーケット島でキョウジは強盗に遭い、絶体絶命のピンチを迎える。

実はオーナーはキョウジをこの島で始末するつもりだった。しかもノイはオーナーの愛人で、子供は彼の子だったのだ。海で撃たれて死んだと思われたキョウジは実は生きていた。彼はなんとかマカオに戻る。果たして彼はオーナーに復讐できるのか。

この作品も浅野忠信の魅力全開である。ボロボロの船室で水道もベッドも壊れているなか奮闘するシーンなど、長いけれどもまったく飽きない。上半身裸の場面が出てくると、これこれ、と思ってしまう。でもこの第二作では、プーケット島の場面ですら、タイ語を話す人はほとんど出てこない。

なぜプラープダー・ユンの映画はこうなのか。『座右の日本』（タイフーンブックスジャパン）という、日本文化探求本まで出していることからもわかるとおり、彼は無類の日本好きらしい。しかも中学を出た一九八六年から一九九七年までアメリカにいた。監督のラッタナルアーンも十年以上アメリカにいた人だから、もはやタイ人とばかりも言えない。むしろ観客も、日本とアメリカ、タイの混ざり具合を楽しんだほうがいいのだろう。

最近、プラープダー・ユンが二〇一五年に出したエッセイ集『新しい目の旅立ち』（ゲンロン）を読んだ。この中では、フィリピンの離島シキホール島への旅とユン自身の思想遍歴が交互に語られる。

アメリカのハイスクール時代、ユンは自然のなかを歩く授業を取っていた。『森の生活』で知られるソローの著書『歩く』に影響を受けた授業だ。もちろん当時は楽に単位が取れて良かったな、ぐらいにしか思っていなかったけど、大人になるにつれ、ソローの思想自体が気になるようになった。

ソローの考え方は超越主義という流れに入る。近代になり、都市化が進んで自然から離れたことで人間の堕落が始まった。インド思想などに学びながら、もう一度自然に近い暮らしを人間は取り戻すべきだ。

こうした近代批判は、現代ではごくありふれたものだ。環境に優しいエコバッグなどが普及していることを考えても、その拡がりはよくわかる。でも待ってほしい、とユンは言う。そもそもソロー的な考えは実行可能なのだろうか。

ソローはウォールデン湖のほとりの小屋で孤独に暮らしながら思索を深めた。けれども、そんなことができたのは、生活に余裕があったからだ。もっと貧しい人々にはそんなことをする暇はない。あるいは、自然の中で生まれた貧しい人々は、自然に学ぶ余裕なんてない。

もし本当に文明を否定するなら、エコバッグ程度で済むはずもない。だが、環境保護のために今の快適な生活をすべて破壊し尽くす勇気など誰にあるだろう。そして文明の恩恵を受けながら文明批判をするのは、ただの矛盾でしかない。

しかも、自分たちは危機に気づいているが、一般の人々は気づいていない、という考え方自体にユンは傲慢さを見る。それは自分らを特権視したいだけではないのか。そして、どんな理由であれ他者を見下す思想が優れているとはユンには思えない。

むしろ、都市や文明すら自然の一つのあり方だと考えてみたらどうだろう。そうした思考を、ユンはスピノザの議論から引き出す。スピノザにとって世界はそのまま神だった。ならばどんな人も、あるいは虫さえも神ではないか。

こんなふうにしてユンはニューエイジ的なロマンティシズムを批判する。彼自身も長いことこのロマンティシズムに囚われていたのだから、これは彼の自己批判でもある。

僕はこのユンの立場に、「すべてのものに仏性あり」という仏教的な感覚を感じた。ユンの議論はあくまで西欧的な言葉でなされる。だが考えた果てに仏教に行き着くところに、東洋的な、というかタイ的な思考の枠組みを感じた。言い換えれば、この思想の旅でユンは初めてタイに戻れたのではないか。そして彼の言葉は、僕の心の深いところにまで触れてくる。

寺尾紗穂＋
都甲幸治

きちんとしたものって窮屈ですよね

寺尾紗穂
一九八一年東京生まれ。シンガーソングライター、ノンフィクション作家。二〇〇七年アルバム『御身』が話題に。二〇一〇年より毎年青山梅窓院にてビッグイシューを応援する音楽イベント「りんりんふぇす」を主催。アルバム『わたしの好きなわらべうた』では、日本各地で消えつつあるわらべうたの名曲を発掘、独自のアレンジを試みる。ほか近年のアルバムにソロ作『たよりないもののために』『北へ向かう』、伊賀航、あだち麗三郎と組んだバンド「冬にわかれて」の『なんにもいらない』など。著書に『評伝 川島芳子』（文春新書）、『原発労働者』（講談社現代新書）、『南洋と私』（リトルモア）、『あのころのパラオをさがして』（集英社）『彗星の孤独』（スタンドブックス）がある。

第三回ゲストの寺尾紗穂さんは音楽や執筆活動のかたわら、ホームレス支援雑誌「ビッグイシュー」の応援イベントの企画などの社会活動もおこなっており、今回の対談もエッセイ集『彗星の孤独』などで綴られるさまざまな人々との出会いから、教育や社会を取り巻く「孤立」の問題へと広がっていきました。

（二〇一九年六月十一日）

シンガーソングライターとノンフィクション作家

都甲　都甲幸治と申します。よろしくお願いいいたします。こちらは寺尾紗穂さんです。紹介が難しいんですけれども、ノンフィクションの本を書いていらして、シンガーソングライターもしてらっしゃる方ですね。

寺尾　よろしくお願いします。

都甲　もともとは朝日新聞の書評委員会でご一緒していて。

寺尾　はい。

都甲　僕は最初、すごく雰囲気がある人がいるなと思って。

寺尾　（笑）

都甲　何やってる人なんだろうと。シンガーソングライターで、なおかつ――『原発労働者』を最初に読んだんですけど、タイトルを見ると硬めというか社会的なものを書いておられる。その取り合わせが珍しいと思って興味を持ちました。今回は『彗星の孤独』という本が出ました。これはエッセイ集ですね。これを読むと、シンガーソングライターと、ノンフィクションライターと、どっちが本業なんですかって言う人が嫌いと書いてあって（笑）、そこがすごくいいなと思いました。同じことをやっていて、人からの呼ばれ方が違うだけなんだなと、腑に落ちた気がしました。たとえば肉体労働を仕事とする人と知り合いになると、どういう人だろうかと気になる。そういう人たちの中に原子力発電所で働いている人がいると、会いに行ってゆっくり話をする。あるいは、中島敦の本を読んでいたら、ミクロネシアの話が出てくると。

寺尾　はい。

都甲　そこに行くと、日本語教育をやっている時代に教育を受けた人がいるはずだ。となると、次の場面でもうミクロネシアに行ってるんですよね。口下手で喋るのが不得意とおっしゃいますけど、僕から見たらものすごく勇気と行動力のある人です。

寺尾　行動力はあると思います。

都甲　ためらいはないんですか。

寺尾　興味を持ったときに会いに行こうとは思わないですか。

都甲　ああ……前はすごく作家に興味があったので、作家には会いに行ってましたね。だけど最近は人と会いたいという気持ちはあまりないかも。

日常の奇跡

寺尾　でも日々学生さんと会っていて、新しい出会いはあるわけですよね。

都甲　先生をやってると、自動的に大量の人と会うんです。いつ頃からかわかりませんが、僕のところにアスペルガーとかＡＤＨＤといった傾向のある学生が集まるようになった。どうやったらスムーズにコミュニケーションができるかわからないどころじゃない。生きることに困難を抱えている学生が自分を選んでくれて、予想もつかない反応を受ける。それはもう教育じゃないんですよね。

教育って目標があるじゃないですか。そうではなく、ただ一緒に時間を過ごすのがおもしろい。

寺尾　どういう反応があるんですか。

都甲　たとえば批判をされると、すごく攻撃的になって、それが増幅されてコントロールが効かなくなる。その時に、かわしながら同時にちゃんと向かい合うということを、ほとんど武道のような形でやっていると、おもしろくてしかたがない。だんだんと、有名で社会的に成功を収めた人に話を聞きに行くみたいなことには興味がなくなってきました。

寺尾　なるほど。

都甲　高校も大学も、下手したら小学校や中学校もちゃんと通えたことがないけど、なぜか大学院に上がってきたような人たちが来週も来たいと思うようなのは何か。そういう学生たちは予想を超えた成長を遂げたりするんです。日常的に奇跡が起きるんですよ。

寺尾　それはすごく気になるところで、娘たちの学校でもクラスに三人くらいは必ずそういう子がいるんです。先生がちゃんと向き合いきれてないと、そういう子はしょっちゅう注意される。そうなると周りの子たちも、あいつは迷惑だみたいな感じになって、普通に嫌われてる。従来の教育を続けてたら、当然そういう結果になると思うんです。でも時代は違ってきてるから。そういう子たちを含めてクラスを運営していくのは大事なはずなんだけど、そこだけ昔のままっていうか。

都甲　できるだけ多くの人数を、できるだけ少ない数の教員で、最小の労力で伸ばすという、工場みたいな考えでやってるところはありますね。そうではなくて、他の人が感じてないことを感じているとか、考えてないことを考えているとか、「人」の捉え方を従来のものと少し変えながら、どうやって関係を作っていくか。むしろ学生たちに先生になってもらって、たとえば詩に興味があるとすると、僕は英語で詩を読むことはあまりないから教えてくださいと頼んで、教えてもらう。そうすると、ちゃんと準備してきて、考えを言ってくれるとか、そういうことをやる。目標を決めないことと、教えるんじゃなくて教わるということを日々実践していますね。

寺尾　そういうことをきちんとできる先生って、大学でもそんなに多くないのかなと思います。

都甲　『彗星の孤独』でも、大学院で大変な目にあう話というのが出てきますよね。

寺尾　ははは。

都甲　こんなの論文じゃないよって言われる。卒業のときにも、君は音楽もやってるの、器用貧乏にならないようにね、みたいなことを言うおじさん。でも、僕も実は寺尾さんと同じ大学院に行ってたんですけど、同じことを言われました。もう博士には上がらないでくださいと言われて、三年ぐらいフリーターでもない単にフリーな人をやっているうちに、なんとなく今のようになりました……結局自分がある種、自閉症的な悩みを自分が抱えていたのかな。それで生きることが困難な学生の感覚がわかる気がする。でもだいぶ社会人をやってるから、外からはどう見えるかというのもわかるようになっているので、二つの世界の間を翻訳してあげるという感じで教育活動しています。

寺尾　自閉症も軽いというか、周りにはわからないくらいの人もいるんですよね。

出会った人を大事にする仕事

都甲　大学院の話にも通じるんですけども、『彗星の孤独』で、今までの作品の種明かしっぽいと思ったポイントがありました。

　アカデミックな「正しさ」というのは、先行研究もあって、論理的にある程度多くの人が納得できる正しさに到達しないと価値がない、というか意味がないじゃないですか。それを否定するわけではないけども、でも正しさって、生きてる人の数だけある。その人なりの正しさを大事にしたい気持ちで仕事をなさってるという話が書いてあって、すごくいいなと思ったんですよ。これは学生一人ひとりの正しさを聞き取ることに通じるんじゃないか。

『原発労働者』でも一人ひとりに会って、特に否定することもなく話を聞く。事実を重視するよりも、他の本でも、たとえばサイパンに行って、アメリカ軍が迫ってきて逃げてるときにどう感じたのかをずっと聞く。そういう形で立ち上がってくる、その人なりの真実は誰も否定できない。だとしたら、それをただ尊重することはすごく重要なんじゃないか。

　そんな姿勢を感じました。出会った人を大事にするということを、仕事としてやってる人なのかな、と。

寺尾　そういうものはあるかもしれないですね。論文だとそういうところまで描ききれない。

都甲　これ（『評伝 川島芳子 - 男装のエトランゼ』）は修論なんですよね。

寺尾　そうです。

都甲　これも論文と言いながら川島芳子の切なさみたいなものがすごく伝わってきますよね。

寺尾　だから評伝でさえないって言われたんですよね。

都甲　でも、いいことだと思いますよ。自分の仕事には教育以外に翻訳というのがあって、それはまさにその本を書いた人の深いところ、肉体的な声みたいなものに耳を傾けて、この人なりの真実、この人なりの手触りをどうやったら摑めるのか、どうやったら日本語で再現できるのかといったことをずっとやっていくんです。

寺尾　私の学部時代のゼミの先生もそんな感じでした。そういう先生のほうが教育力というか、人に向き合ってくれる感じはすごくある。

都甲　それは幸せなことですよね。大学って、入ってみないとどういう先生にあたるかわからないし、努力ではどうにもならないところがありますからね。

寺尾　私はその先生がいるから中国文学科に行ったんです。ずっと歴史のほうに行こうと思ってたんですけど。

都甲　実際に中国文学で卒論を書いたんですか？

寺尾　その時から川島芳子をやってたので。

都甲　中国との関係が気になります。電子書籍で出ている『愛（かな）し、日々』というエッセイ集。

寺尾　中国旅行記ですね。

都甲　恋愛とも言えない、相手の男性が勝手に盛り上がってる状態が続きながら寺尾さんと二人で中国を旅していくところがすごくおもしろくて（笑）。

寺尾　仕事を辞めたって言うんですよ。仕事を辞めたときの気分が分かるか、みたいなことを言われて。

都甲　君のために仕事を辞めたよっていう。めちゃめちゃ重い！　僕はもともとアメリカ文学研究ですし、その前はフランス文学系の人たちとも付き合いがあったけれど、基本的には欧米中心で来ました。最近でこそ韓流にはまったり、アジア化してきてますが、とはいえあまり中国など東アジアのことは考えないできた。寺尾さんは中国とか、満州とか植民地支配とか、あるいはミクロネシアとか、東〜東南アジアの話が多いですよね。

寺尾　植民地の問題は中学〜高校くらいから興味がありました。

都甲　なぜ植民地に興味が？

寺尾　過去に興味が向いたのは、小学校四年生くらい。関東大震災のときの、朝鮮人虐殺の話を母から聞いて、過去の不穏な感じというか、なんでそんな時代だったんだろうという大きい疑問をずっと持ち続けた気がします。

都甲　現代の日本に生きていて、ここから先は入っちゃいけないとか、ここから先は見ちゃいけないと隠されている不穏な領域が実は大事で、今の日本社会の基盤になっている。そこにぐっと入っていくという感じはしますよね、寺尾さんの本は。

　先日お話ししたときに印象にすごく残っているのが、渋谷駅でＪＲから井の頭線に行く通路に、ホームレスの人がなんとなく立ったり座っている。寺尾さんが気になってその人に声をかけたと。

寺尾　すごく寒い時期ですね。夜どこでどうしてるのかなと思って。

都甲　それで行政にもつなぐからと。

寺尾　もう歩けないおじいさんで、杖をついても１センチずつくらいしか進まないような状態で、そんなひとが寒い時期に外にいるんだと思って。でもそんな状態だったら、窓口に行けば生活保護なりどこか施設にも入れるから、行きましょうかって言ったんですよ。

都甲　そしたら泣き出した。

寺尾　いや、「行かない」って言ったんだけどでも、こんなに寒いから風邪ひかないかと思って、と言ったら泣き出しちゃって。井の頭線の改札を出たところで、ぼたぼたそのおじいさんの涙が落ちて……なんて国かなと思って。

都甲　その光景が、話で聞いただけなのに焼きついちゃって。

寺尾　個人でできることは限られてるし、本人の意思もあるし、なかなか難しいですけど。りんりんふぇすを一緒にやっている仲間で自立支援をやっている人がいるから相談したら、ビッグ・イシューから路上生活脱出ガイドというのが出ていて、そこに助けてくれるＮＰＯの連絡先とか炊き出しの場所が書いてあるから、とりあえずそれをお渡しするのがいいんじゃないかって。

都甲　りんりんふぇすというのは何ですか？

寺尾　「ビッグ・イシュー」はご存知ですか。

都甲　はい。

寺尾　あれをより知ってもらいたいなと思って。チケット代にビッグ・イシュー代を組み込んで、来てくれたお客さんに一冊配布するというシステムにしている、そういうフェスをやっています。毎年十月に、梅窓院という青山のお寺で開いていて、次回は十回目になるので、玉姫公園という坂本さんと出会った場所でやれたらなと思っています。

「小ささ」と「つながり」

都甲　坂本さんというのは、寺尾さんの本にもたびたび出てくる画家の方ですね。

寺尾　絵を描いていて、都立大の校舎を作ったおじさん。そこでアジアの労働者をまとめてたという。

都甲　坂本さんのことがめちゃくちゃ気になってます。国際化というと、大学的には英語がペラペラ喋れるとか、あとはフランス語とか、って思いがちだけど、坂本さんは肉体労働で監督をやってらっしゃるんですよね。何ヶ国語もしゃべれるけど、そういう西洋の言葉ではない。中国の南のほうですよね。

寺尾　福建とかあっちのほうだと思うんですね。

都甲　福建語とか、あとは何でしたっけ、ベトナム語？

寺尾　ベトナムとかマレーシアとか。

都甲　片言なんだけど的確に伝わって、巧みにアジアの労働者をまとめている。

寺尾　その能力が高かったから現場をまとめる役割を任せられたと思うんですね。

都甲　それは自分にとっては衝撃で。大学的には複数の西洋の言葉をしゃべれるひとが偉いというのがあるんですよ。でも考えたらすごく遠い。ヨーロッパなんてあまり日常的じゃなくて、実際にはまわりに東南アジアや東アジアの人がたくさんいる。身近にいるひとたちのしゃべってる言葉をスキップして地球の裏側の言葉をしゃべる人を養成して、何やってんだろうなという気持ちになります。その坂本さんが寺尾さんの中国語を直すシーンが好きなんです。だって寺尾さんは中国語の先生をやってたんでしょう。

寺尾　はい（笑）。

都甲　中国語の先生の中国語を直すって相当根性いりますよ。

寺尾　完全に誤解してるんですけどね（笑）。福建訛りの中国語が本当の中国語だというのが坂本さんの主張で、ＮＨＫラジオもおかしな発音を流しているから電話したんだって言ってました。

都甲　坂本さんの話が印象に残っているのはもうひとつ理由があって、『原発労働者』というタイトルを見ると、一見いわゆる「社会派」みたいな感じがするじゃないですか。で、いわゆる「社会派」というと、社会の不正に対して怒るとか、大きい話をするとか。あるいはマルクス主義みたいな大きな政治的な裏付けがあるとか、そういったイメージがある。でも寺尾さんの本だと、たまたま友達の知り合いが坂本さんで、彼もアーティストだし肉体労働もやってる。坂本さんの知り合いにはやっぱり肉体労働をやっている人もいて、じゃあそういう人たちはどういうことやっているんだろう……とか、必ずスケールが小さいんですよ。しかも具体的な人のつながりがすごく見えてくる。

寺尾　うん。

都甲　パラオに行っても、パラオに住んでた日本人は今どこに住んでるのかな？　八丈島に帰ったらしいよ。じゃあ八丈島に行こう。で、次は八丈島になってるみたいな。全然論理的じゃなくて――怒らないでくださいね。

寺尾　いや、全然。

都甲　小さいスケールの、人の偶然のつながりがだんだん次の展開を引き寄せていく。その場所に行ったらまたおもしろい話をしてくれる人が現れたり、不思議なんですよね。不思議と思うのが変なのかな。本の展開としては、まず「この問題に取り組む」という枠組みがあって、それをやってる代表的な人に話を聞きに行くとか、そういう思い込みがあったのに、寺尾さんの本は普通の人生みたいなんです。

寺尾　レビューとかでも、普通にノンフィクションを読み慣れてる人が、ノンフィクションと思って読むと、期待外れだったとか、全然裏付けがなってないみたいな（笑）批判も書かれます。ノンフィクションとは名乗れない代物ですね。だからエッセイというか。

都甲　読んでも知識が増えないというか。たぶん「ノンフィクション」と銘打ってる本は、ちゃんと調べて裏付けを取って、ちゃんとしたことを、ちゃんとしたふうに言う、みたいな思い込みがあるじゃないですか。だけど『あのころのパラオをさがして - 日本統治下の南洋を生きた人々』なんかだと、その場に行って博物館に行って初めてわかったとか。

寺尾　それから調べるとか（笑）。

都甲　夜ご飯の時間に帰りつかないといけないから二時間で帰ったとか。

寺尾　取材に行ってもね。

都甲　いわゆる「ちゃんと」みたいな法則がすべて外されていくんですよね。

寺尾　私が男だったら、また違ったかもしれないですけどね。やっぱりお母さんだから夕飯までに帰らなきゃいけないとか。男の人だったらそんなの気にせず行けますよね。パラオには私は四泊五日で二回行きましたけど、二週間くらい行けばおそらく内容的にはもっと深いものも書けると思う。けれど制約のある中で、残せるものがこれ。

都甲　それがすごくいいと思う。こないだ比較文学者の中村和恵さんという、カリブ海文学とかやってる方と話したときに、男が、尋常じゃない数の高いレベルの仕事を残している場合、必ずその裏でそいつが逃げてる仕事をやってる多くの女の人がいるに違いない、とおっしゃていて。

寺尾　ああ、その通りですね。

都甲　そうすると、ちゃんと立派なものを作るということができてるってこと自体、どこかちゃんとしてないということになりますよね。

寺尾　家庭が破綻してますね、大体。

都甲　基本、家にいない。

寺尾　うちの父もずっといなかったので。数でいえばフランス映画の翻訳を一番多く残したと思いますけど、その一方でやっぱり家庭は放棄していた。

都甲　なるほど。寺尾さんの場合、事前に調べていけない分、行ってその場で聞かないといけない。その場でどうにかしなければいけないときに、偶然なのか必然なのかわからないけど、その場での出会いがある。たとえばホテルからタクシーで人を運んでいるおばちゃんが、実は日本統治時代をよく知っているとか。

ちゃんとできない分、凹みのようなものができて、そこに何かを呼び込んでいる。呼び込まれたものが実はその場でのベストだった、というようなことが連鎖していくんですよね。直線的に進んでいかないからこそ出会いがあって、発見があって、寺尾さん本人が意図したものとは違う方向に進むのがすごくいいです。読んでいて気づきがあるというか。

偶然とは思えないほど、不気味な一致が出てくるじゃないですか。ラジオで俳句が読まれてるのを聞いてたら、実は親類のおばあちゃんが作った作品だったとか。

寺尾　そう、祖父の妹が作ったもので、私のひいおばあちゃん、彼女のお母さんのことを詠んだ句だったんですね。

都甲　下手な書き手がわざとらしく作った偶然の一致なんて超えるような一致がどんどん起こるんですよね。

寺尾　不思議なことは増えたなあと思います。

都甲　そういう偶然の一致みたいなものを呼び込みながら旅をして、そのときにその場で考えたことを書いていくだけ。それを批判する人もいるかもしれないけど、読者が一緒に旅していく中で、読む前と読んだ後で自分も変わっていくみたいな感じがします、どの作品も。じゃあ何が変わったんですかと言われるとわからないんですけどね。

『彗星の孤独』で好きなところは他にもあって、娘さんと公園のダンゴムシを何日も見に行くだけのところ。ダンゴムシが何かに群がってるけど、何に群がってるかわからないと思い続けるだけっていう。

寺尾　一応ひっくり返してみるんだけど、ひっくり返すとダンゴムシはみんな逃げていって、残ったものは結局何かわからない。

都甲　断片的にそういうイメージが映像でくっきり残ります。サイパンのおばちゃんたちの顔とか——単に妄想してるだけなんですけど、ダンゴムシとか、娘さんたちと公園で手をつないで歩いているのかなあとか、そういう絵柄が浮かぶ。普通のフィクションとは違う手触りがありますよね。

控室で小説は読めないとおっしゃってましたが、気配とか雰囲気が残るのって、小説なんじゃないかと思いますね。こういうの、文学なんじゃないかなと。ノンフィクションも文学ですけど。

褒める教育

都甲　あまり役に立たないというのが惹かれるところで、さっき楽屋で論理的思考を押し付けてくる人が嫌いと聞いたんですけど、僕の好きな作品でも、本当にベタなんですけど、サリンジャーの

『キャッチャー・イン・ザ・ライ（ライ麦畑でつかまえて）』の中で、クラスメートが短い発表みたいなのをするシーンがあります。で、連想で話がずれていくと、みんながズレたズレたと言って怒る。そのときに主人公は、話ってズレるから面白いのに、なんで筋が通った話をしなきゃいけないのか。そういうのを重視するのはつまんない、ってウジウジ思いながら言えないという。そういうのを思い出しますね。
　文章を書くときも、もちろん調べたり考えたりするんですけど、準備したものと違うものになるように意識しています。連想やその場の思いつきみたいなものを大事にしながら、論理的にちょっと変なものを書くという努力をしている。

寺尾　きちんとした物って、窮屈ですよね。

都甲　きちんとしろって教えなきゃいけないんですけどね、大学の先生としては（笑）。実は得意じゃない。

寺尾　以前に代官山蔦屋書店でトークショーをしたときに、終わったあとに話しかけてきてくれた同世代くらいの男の人がいて、その人は息子さんがいじめられて不登校になっているというんですね。どうも話を聞いていくと、その息子さんもちょっと発達障害的な症状があってしょっちゅう怒られてる。きちんとしなさいというメッセージを先生がずっと発していると、悪いところ探しみたいになって、クラスがその姿勢を真似ちゃう。そこからいじめが始まるケースがあるんだなって。

都甲　いじめのもとは、よかれと思っている教育活動なんだ。

寺尾　その可能性があるというか。

都甲　日本はダメ出し文化ですからね。発達障害の子供にどういうふうに指示を出すかみたいな本も読みましたけど、すごいんです。発達障害児教育の達人は一秒に一回褒められるとか書いてあって、それは無理じゃないと思ったんだけど。十五分に十回褒めてくれとか。
　教育のだめな例は「課題設定↓失敗↓叱る」のネガティヴ・トライアングルで、極限まで子供のプライドを落としていく。いい例は「割と簡単な課題設定↓成功↓褒める」で自己評価を上げていくようにする。そうすると思わぬことができるようになってくるみたいなことが書いてありました。でも……褒めかたって習わないんですよね。

寺尾　そうなんですよ。そういう場として設定して、友達のいいとこ探ししようみたいな時間は娘たちの学校にもありますけど、でも日常の先生の姿勢として、そういうものが本当に見せられてるかというと疑問なんですよね。

都甲　僕も努力して褒めようとしてるんですよ。学生に発表をさせても、「ああー……」みたいなのもあるんですけど、頑張って「ここおもしろかったね、よかった」とか言うようにしてるんです。そうするとだんだん上達する。まあ褒められるんだったらやろうかなみたいな雰囲気になる。たくさん褒めるほうが効果は上がるんだなと実感してるところですね。

寺尾　『みんなの学校』ってドキュメンタリーはご覧になったことありますか。

都甲　いや、ないです。

寺尾　大阪の大空小学校という公立の小学校で、そこに来た校長先生が発達障害とか不登校の子、問題児とされる子たちを積極的に受け入れているところなんです。そんな問題児ばっかりでどうやって学校を回していくのか、ずっと映画で追ってるんですけど、結局その問題児たちを変えさせようとするんじゃないんです。

都甲　うん。

寺尾　その周りのクラスメイトに、こういう子がいるけど、この子とうまくやってくにはどうしたらいいと思う?って、いちいち考えさせる。そうすると変わっていく。そういうところでは除け者にならないし、その学校の成績自体も全体に伸びてるんですよ。

都甲　自分は今翻訳のワークショップという授業をやっていて。翻訳をやってもらって、これちょっといいなとか、おもしろいなと思うの選んで、ひたすら学生にコメントしてもらうんです。そうすると、どう考えても自分より良いアイデアが出る。そういうところに気づくんだっていうコメントが上がってきて、みんなぐんぐんアイデアが出るようになる。

　以前は自分が立派な先生になって、いいアイデアをいっぱい思いつけるようになって教えなきゃと思ってたんですよ。だけど現場にいいアイデアは転がってるんだよね。単にそれが反映される道をつければいい。一人で考えるより三十人で考えたほうが効率いいから。

　でも学生に先生になってもらうというのを思いついても、実際にやるのは勇気と時間が必要でしたね。自分がそういう授業を受けてきてないから。

寺尾　小さい頃から迷惑だとか邪魔者だとか嫌われてきて、そうした経験が積み重なっていることで、どうなっちゃうのかすごく心配で。

　川崎の事件[*3]も、はっきりは分からないけど、感情のコントロールができないとか、そういう中学の同級生の証言もありました。ひょっとしたらそういう発達障害的な部分のあった人かもしれない。先日、福岡でトークショーをしたときにも、発達障害の娘さんがいるというお母さんが来て下さったんです。やっぱり、あの川崎の事件は、何か違ってたら自分の娘だったんじゃないか、全然他人事に思えないとおっしゃっていて。

　そういう声もあまりニュースとか見てるだけじゃ分からない。実際にその人を前にして、初めて実感できることだなと思いましたね。

孤独と孤立

寺尾　孤独の話をよくライヴのＭＣでもするんです。孤独の楽しみ方とか、そういう本が出てたりするんですけど。私は川崎の事件のあと、一番信頼していた親友とやり取りしていて、彼女が犯人は地獄に落ちればいいと言うんですよ。

都甲　ああ。

寺尾　私はそうは思わないと言って、対話を続けたんですけど。まあ、あれだけのことをしたから、もちろん地獄には落ちると思うんですよ。

都甲　確定でしょうね。

寺尾　生まれ変わって報いを受けるのか、どういう形かわからないけど、それは自然にそうなるだろうと思うんですね。

　だけどそれとは別に、今生きている人たちがその人に向かって地獄に落ちろって一斉に言ったら、もうここが地獄じゃないかと思って。同時に、その犯人は十分地獄を生きてたんじゃないかという気がするんです。そんなことを言ったら、友達が、「孤独なんて、みんな孤独なんだよ」って言ったんです。

　確かにその通りだし、みんな一人で死んでいくという側面もある。だけど、みんなが抱えてるはずの孤独と、犯人の状態は違ったと思うんです。孤独じゃなくて、孤立の状態になってたんじゃないかな。孤独という言葉だけで片付けられない重大な状態があると思うし、そういう状態に陥っている人がたくさんいると思うんですね、社会の中に。

　だから孤独という概念が、うまく付き合えばこなせるみたいな風潮が広まっていくと、その人自身を追い詰めてしまう可能性がある。孤立の状態になった人が、一人でもなんとかやってけるさっていう感じで、誰にも相談しないまま、つながらないままいつのまにか追い詰められていく可能性があるんじゃないか。そこは分けて認識していかないといけないと思うんですね。

都甲　誰でも孤独なんだよっていう言葉も、そのとき誰かに言ってるわけですよね。「俺も孤独だ」と言える時点でもう孤独じゃない。「そうだよね」って言ってもらえる前提がある感じがする。

もっと怖い孤立――今日は一言も声を出さなかったな、コンビニで買おうと思ったらびっくりするほど小さい声しか出なかったな、という毎日を送ってるとか。コップをここに置いたら自分が動かすまでずっとここにあるんだよな、みたいな感じで暮らしてる人たちが絶対いるわけで。

寺尾　そういうやり取りする人もいないとか、自分が困ってることをアピールすることもできない。そこに行っちゃうと本当に怖いというか。

あの犯人が起こしたことは本当に恐ろしいことだけれど、でも自分に向かっていって自殺してしまう人と、怒りが外に行く人と、もともといた場所はとても似たところなんじゃないかという気がするんですね。

都甲　ものすごくたくさんの人が自殺してるんですよね、日本って。ものすごくたくさん自殺してるのに、他の人を巻き込むと急に騒ぎだすというのは本当はおかしいのかもしれないですね。

寺尾　本当ですね。農水省の元事務次官のお父さんが子供を殺した事件[*4]も、家庭内で始末をつけるのは立派だみたいなコメントがあったりして。

都甲　それを受け入れると、大学院に落ちて引き籠ってた僕は殺されるべきですよね。

寺尾　極論としては、そうなりますよね。本当に恐ろしいですね。抱え込ませないようになるには、どうすればいいのかなって。

都甲　カリフォルニアに留学してたときに衝撃を受けたことがあって、どんな場所でも、人と一緒にいると必ずしゃべらなきゃならないんですよ。エレベーターに乗るときも挨拶しなきゃいけないし、お店に入るときもハローとか言わなきゃいけない。空港に行くバスで隣同士になったら絶対知らないおばちゃんともしゃべらなきゃいけないんです。スーパーに行ってもレジ係のおばちゃんが話しかけてくるから、愚痴とか聞かなきゃいけない。聞かないと買えないんですよ（笑）。なんでだよって思ってたんですけど。

寺尾　はい。

都甲　それに慣れると、日本に帰ってきたときに寂しくてしょうがない。最短距離で何でもすぐうまくいくじゃないですか。そうすると全然人としゃべらない。

　ロサンゼルスでバスに乗ってたら、急に止まるんですよ。運ちゃんが入口を開けて降りてくんですよね。何かなと思ったら、この時間に来るから待ってろって彼女に言ってたみたいで。デートしてんの（笑）。

寺尾　ええー、すごい！

都甲　二十分くらい、乗客もみんな待ってるんですよね。想像を絶してた。でもたぶんそっちのほうが人は死なないですよね。

寺尾　そんな気がしますね。でも一昔前には日本でもそういう光景が普通にあったと思うんですよね。田舎に行くと、電車で知らないひとと話したりというのが普通にあるじゃないですか。そういうものが消えた社会。

都甲　ミスタードーナツとかに行くと、女子高生チーム四人くらいが来て、仲いいのかなと思ったら座った瞬間にスマホを見て、お互い嫌いみたいな感じがするんですよ。でも沢山のお友達とつながってるんですよね。なんで目の前の人と喋らないのか、不思議ですよね。

寺尾　そうなんですよね。

都甲　川崎の事件の話にちょっと戻りますけど、僕は今日、フォークナーの短編を教えてたんです。教えたというか一緒に読んだだけなんですけど。

それは「ウォッシュ」というタイトルで、南部のお殿様みたいな人と付きひとが、二人とも没落してるんだけど、ずっとお殿様と召使いごっこをしながら何年も一緒に暮らす。最後の最後、自分を人間扱いしてないのに気づいた召使いの人が、草刈り鎌でそのお殿様を刺し殺すという話なんですよ。

召使いは明らかに殿様が大好きなの。その殿様は人類の理想で、神が人間に化身したようなものだなんて言ってるのに、殺す。文学作品だから極端なんだけど、「かまってよ」とか、「この差し伸ばした手を握ってください」とか、「私の言葉に応えてください」とか、「私の存在を認めてください」とか、「人間だと気付いてください」とかいうのが、究極の形が犯罪になるとしたら本当に悲しいよね、みたいな授業をやったあと、ここに来たら川崎の話で、大体内容は一緒なのかなとちょっと思いました。

＊3　二〇一九年五月、この対談の直前に川崎市登戸で発生した通り魔事件。小学生の女児をふくむ二名が死亡、十八名が負傷した。

＊4　二〇一九年六月に元農水省事務次官が無職で引きこもりの長男を殺害。先述の通り魔事件から、息子も同様の事件を起こすかもしれないと危機感を持ったことがきっかけとされる。

第9話

みんな娘がほしいわ

高校生のころ島田雅彦の小説が好きで、たくさん読んでいた。青二才とかサヨクとか、徹底してイケていない感じが良かった。六〇年代風の時代遅れなアイテムを華麗に使いこなすイケメン作家、というだけでかっこよかったのだ。

彼を通してヴィトルド・ゴンブローヴィッチを知った。ポーランドの青二才作家、と言われただけでも、ものすごく読みたくなってしまう。古本屋を探し回ったあげく、早稲田にある穴八幡宮境内の古本市で、一九七〇年刊のバージョンを見つけた。

内容は、大人げない主人公がとにかく周りに突っかかりまくる感じで、僕はこうしたサリンジャーや太宰治みたいな作品が大好きだから、すっかり気に入ってしまった。そして他の作品も全部翻訳されればいいなあ、なんて思ったりした。

大学に入ってもポーランドのことはなんとなく気になっていた。そのうち、ワルシャワ大学日本語学科からの留学生と知り合い、ブルーノ・シュルツの作品をもとにした絵本をもらった。

難解な短編を書いていてナチスに射殺された作家だ。白黒の画面では、僕の読めない言葉で、暗黒な感じの物語が展開されていた。

今ではゴンブローヴィッチの『フェルディドゥルケ』も『シュルツ全小説』も平凡社ライブラリーで簡単に手に入る。おまけに西成彦さんのおかげで、ゴンブローヴィッチの長編『トランス＝アトランティック』（国書刊行会）まで日本語で読める。時代も変われば変わるもんだ。

大学院時代にはポーランド映画も見た。クシシュトフ・キェシロフスキの『トリコロール／白の愛』を渋谷のBunkamuraに見に行ったのを覚えている。フランス語をろくに話せないポーランド人の男がフランスで、ジュリー・デルピー演ずる妻に捨てられる。なんとかポーランドに帰り着いた彼は一念発起、実業家として大成功を収める。そして元妻への復讐に乗り出すのだ。

妻が、なんであんた、私に捨てられるかわかる？（Comprenez-vous?）と何度も言いながら夫をビンタし続けるシーンが印象的で、今でもよく覚えている。そして僕は、男の限りないダメぶりがたまらなく気にいってしまった。キェシロフスキの暗さ、コンプレックスのどうしようもなさは、当時の僕の気分にぴったりだった。

大人になり、アメリカ文学を専攻するようになった僕の中で、ポーランドへの想いが再燃していった。奇妙に響くかもしれない。けれども、東大の沼野充義先生は学生時代、ロシア文学やポーランド文学を研究するためにアメリカに留学した、と言ったらわかってもらえるだろうか。とにかくアメリカにはポーランド系移民や、ポーランドからやってきたユダヤ系移民が多いのだ。

もちろんその中には作家になる者もいる。たとえばノーベル文学賞を獲ったアイザック・バウエヴィス・シンガーはアメリカに渡ってからも、第二次大戦前のポーランドのユダヤ系社会をイディッシュ語で書き続けた。神や天使や人間が普通に会話する童話のような彼の作品世界には独特な魅力がある。

そしてイェジー・コシンスキは『ペインティッド・バード』（松籟社）で、第二次大戦中に差別的なポーランドの農民社会を逃げ惑うユダヤ人の少年を描いた。戦後、悪いのはすべてナチスだ、ということにされたが、実は農民たちは積極的にユダヤ人迫害に加担していた、とコシンスキは作品を通して告発する。やられたらやり返す、でなければ死ぬしかない、という暴力的な世界を、ここまで徹底的に描写した作品はそうないのではないか。

コシンスキの小説に強い印象を受けていたから、同じような設定のウーリー・オルレブ『走れ、走って逃げろ』（岩波書店）も興味深く読んだ。この作品でも、ユダヤ系の少年がたった一人で、第二次大戦中のポーランドの田舎を逃げ回る。だが『ペインティッド・バード』と違うのは、ポーランドの農民やドイツ兵の中にも助けてくれる人がいる、という点だ。

スルリック少年はゲットーのユダヤ人だ。このままでは家族も含めて住民全員がナチスに殺されてしまう。彼は機転を利かせて農民の荷馬車に隠れ、ゲットーの外に脱出する。彼にとっての自由とはこういうものだ。「壁がなくて、どんどん歩いていけるってことさ、誰にも止まれっていわれないことだ」（十二ページ）。そしてこう思う。「どんどん、どこまでも歩いていきたい。小さな町の家に住んでいたころのように、野原をずんずん歩きたかった」（十三ページ）。

今、日本に住む我々にとって、これは当たり前のことに思える。だが戦時下のポーランドでは違った。そのことはアート・スピーゲルマンのグラフィック・ノベル『マウス』（パンローリング）を読むとわかる。ナチス統治下の社会では歩いているユダヤ人を突然、射殺しても誰も罪には問われなかった。なぜなら、彼らは人間とは見なされていなかったからだ。

スルリック少年に戻ろう。彼はドイツ人のふりをしたりポーランド人のふりをしたりしながら、目の前の状況をなんとか切り抜ける。寒い冬は身分を偽って農家で雇ってもらう。ドイツ兵と仲良くなり、決定的な場面で守ってもらう。

こうした演技は、マーク・トウェイン『ハックルベリー・フィンの冒険』にも出てくる。ハックルベリーは時に女性になり、口から出任せの経歴を語りながら、強固な奴隷制が支配するアメリカ南部を、逃亡奴隷のジムとともに生き延びる。両方の作品で、児童文学らしいごっこ遊びは同時に、暴力的な状況を切り抜ける英雄的な知恵と勇気の場面にもなっている。

スルリックは森の中で生き物を観察し、どうやったら足音を立てずに移動できるかを学ぶ。それだけではない。「羊や牛がなにをいっているのか、なにをしたがっているのか、なぜいきなり頭をふりたてるのか、どの羊がほかの羊たちを引っぱっていけるリーダーなのか、わかるようになった」（八八ページ）。人間扱いされないスルリックは動物の知恵を受け取り、人間たちの追跡を振り切る。しかもどんなふうに政治がなされるかを、羊の群れから知るのだ。

オルレブの小説がコシンスキのものと決定的に違うのは、ポーランド人農民全員を悪くは書かないことだ。中にはちゃんとわかっている人もいる。イエスさまだってユダヤ人だった、ユダヤ人だって人間だ。ただ彼らは黙らされているだけだ。いや、むしろ多くの者はそんなことわかっていたのかもしれない。専制政治とは一つの声だけが社会に響くようになることだとよくわかる。

結局スルリックはやってきたソ連軍に解放される。この作品がイスラエルで、ヘブライ語で書かれていることから推定すれば、彼はその後、イスラエルに渡ったのだろう。本書を読むと、目前に迫った死の恐怖から逃れることがどれほどホッとすることなのかがよく伝わってくる。

二〇一九年にノーベル文学賞を受賞したオルガ・トカルチュクの『プラヴィエクとそのほかの時代』（松籟社）もすごかった。時代は二〇世紀のまるまる百年で、ポーランドの架空の農村プラヴィエクを舞台に、ニエビエスキ家とボスキ家の人々がどんなふうに歴史に翻弄されたかが描かれる。

コシンスキやオルレブの作品と違って、トカルチュクの本作はポーランド人農民の視点から語られる。そうすると、世界の見え方がまったく違う。ナチスドイツが入ってくれば、兵士と個人のレベルで付き合う。中にはいい人もいる。だが、村のユダヤ人たちが連れ去られ始めると、その一人と不倫していたポーランド人の農婦は密かに苦しむ。

そのうちソ連兵がやってくると、アジア人の顔をした兵士と村の少年は仲良くなる。だがドイツ軍との戦闘が激化して、村はすべて焼き払われてしまい、村人は森に暮らさざるを得なくなる。

村人たちは自分が生まれた村でただ暮らしているだけだ。だが国境の向こうから次々と暴力が押し寄せる。村人たちは皆殺しにならないよう、どうにか新参者たちと交渉し、妥協点を探り、必死に協力する。とにかく生き延びるだけ。その姿が痛々しい。

もちろん村人だって平和を求めている。特に村の女性たちは。中の一人は言う。「みんな娘がほしいわ。もしみながいっせいに女の子を産みはじめたら、世界は平和なのに」（十九ページ）。ならばそもそも戦争とは、男たちが生み出した愚行なのだろう。だからこそこんな記述も出てくる。「セラフィンの家に子どもが生まれた。女の子だったので、みなこれは戦争が終わる徴候だと考えた」（四一ページ）。

主人公と言えるだろう人物は複数出てくるが、最も印象深いのはクウォスカだ。孤児の彼女は食べ物を盗み、体を売って生き延びる。だが行為の最中にも、決して男たちの下にはならない。なぜなら、男女は平等なはずだからだ。

彼女はしっかりと世界を見て、人々の言葉を聞き、そこから多くを学び取る。僕が好きなのはこの一節だ。「人をただ覆うだけの知識は、人の中に、なにも変化をもたらさない。あるいは、もたらしたとしても、それは上っ面の、見かけだけのことで、服を着替えるようなものだ。でも、じぶんの内側にとりいれて学ぶ人は、たえまなく変わりつづける。学んだことが、じぶんをかたちづくるのだから」（二四ページ）。

たくさんものを知っていても何もならない。きちんと自分の体に入れて、しっかりと考え抜くこと。こうした人物だけが、真の意味で学んでいると言えるのだろう。トカルチュクのインテリ批判は鋭い。

信仰深い農民たちの精神生活に寄り添って描かれる本書では、神や天使が語り、死者たちが列をなして村を通り過ぎる。こうした幻想的な記述と、あまりにもシビアな現実描写が並列して登場するのがトカルチュク作品の魅力だろう。

僕は本作を読んで、ポーランド文学のあまりのレベルの高さに驚いた。他にもどれだけすごい作家がいるんだろう。そしてまた、トカルチュクをきちんと選べるノーベル文学賞はやっぱり優れている。売れているとか有名だとかいうことには左右されない、しっかりとした見識を僕は感じた。

第10話

家に蛇がいると幸せになる

チェコを初めて意識したのは、『存在の耐えられない軽さ』（集英社）じゃないか。ミラン・クンデラ原作のこの映画が大学生の頃すごく流行って、あまりにも気に入った僕は原作まで読んだ。

プラハの医師と女性が知り合い結婚するが、一九六八年に民主化を押しつぶそうとしたソ連軍が侵入してくる。いったんはスイスに逃げた二人だったが、結局はチェコに戻り、政府に迫害されながら生き続ける、という話だ。

当時はまだぎりぎりソ連が存在していたから、当時はすごく昔の話、という感じでもなかった。とはいえ僕は政治の話はそこまで興味がなくて、驚いたのはこの医師がむちゃくちゃにモテまくる、というところだ。

ダニエル・デイ・ルイスが演じているのだが、人妻の家に忍び込み、「下着を脱いで」と言うと、なんと彼女はパンティーを脱いでしまう！　自分から喜んで！　なぜだ。ダニエル・デイ・ルイスが演じているからか。あるいはプラハってそういうところなのか。

そのころは人生に悩み、恋愛に悩んでいた。だからこういう軽い感じの生き方は衝撃的だった。今ならば、この手応えのなさこそ苦しみだ、とわかるが、大学生の僕にはそんな、想像を絶する境地なんて思いもよらない。

そしてクンデラのおかげでチェコやプラハに興味を持つようになった。読み始めたのは、定番のフランツ・カフカやカレル・チャペックである。カフカは何と言っても『変身』が好きだった。会社員の主人公が朝、目覚めるとゴキブリっぽい虫に変身している。それでも会社に行こうとするが、もちろん行けない。

家族は最初は同情してくれるが、お兄ちゃんが虫になったおかげで私がモテない、と考えた妹に嫌われる。そしてその妹を救うべく父親が主人公にリンゴを投げつける。背中がヘコんだ主人公は弱って死ぬ。そして残された家族は幸せに暮らす。

なんだそれ？　シュールすぎるよ。それから『審判』も良かった。銀行員の家に男が二人来て、あなたはある罪で告訴されています、と告げる。だが主人公にはなんの心当たりもない。裁判所に行こうとしても見つからず、結局人の家の押し入れに入って天井を外したところにある。

裁判官の目の前に置かれている本は法律書ではなくポルノだ。全然罪の内容が明かされないまま、主人公は追いつめられていく。徐々に自分が悪かったような気がしてくる。そして結局「犬のようだ」と叫びながら、男たちに首を切られて殺される。

　プラハという古い都市が迷宮になる。どこがどこにつながっているのかもわからない。文明的なはずの世界が急に牙を剝き、その中で人は虫や犬以下のものとして扱われる。人権も法律もないし、理由も納得もない。

　カレル・チャペックは吉祥寺にある同名の紅茶店なんかでも知られているから、現在の日本ではかわいいイメージかもしれない。でも主著の『山椒魚戦争』（岩波書店）は違う。山椒魚が知性を持ち、最初は人間に使われているものの、やがて独立心を発揮し始め、やがては人間と戦争になる。

　まるでフィリップ・Ｋ・ディックの『ブレードランナー』みたいな内容のＳＦで、栗栖継の翻訳も良くて、当時僕はラフォーレ原宿の本屋でバイトしていたんだけど、一緒にカウンターを担当していた女の子にチャペックのおもしろさを熱弁したのを覚えている。今思えば迷惑だよね。

　その後ドハマリしたのが、ヤン・シュヴァンクマイエルの映画だった。気に入りすぎて、たぶん渋谷のパルコでやった『アリス』展まで見に行ってしまったぐらいだ。これは彼が実際に撮影で使った人形や小物などが展示されていて、ファンにはこたえられない内容だった。

シュヴァンクマイエルの魅力は何と言っても、気持ち悪さと可愛さの同居だ。この二つがつながっている、という発想は、かなり真実をついていると思う。どんなに可愛い動物だって、ものすごくアップで見れば気持ちかったりするよね。わりと距離を取ってきれいさを保つのが日本文化だとすれば、チェコは寄りに寄る。

映画『アリス』だって、ナレーションはアリス役である女の子の口のアップだ。本当に喋っているから、唾がびょーんとなったりする。かなり可愛い子なのに。しかもおそらくわざと、彼女の手の爪は汚いままだ。

登場する兎や蛙などはクレイアニメっぽい感じで、人形を少しずつ動かしながら実写で撮影されている。どの動物も可愛いんだけど、ちょっとずつ汚くて恐い。兎の胸の裂け目からは木屑がさらさら流れ出て、それを補うために兎はスプーンで掬って木屑を食べまくる。

古い机の引きだしが不思議の世界の入口だ。アリスが取っ手を引っ張ると、必ずや取っ手は取れてしまう。そしてそこに空いた穴に指を入れたりして無理やりこじ開ける。部屋の中にいたはずなのに急に外に出ている。屋根にできた裂け目は自然とふさがる。

古そうな瓶詰めや、鳥や魚の骨を組みあわせて作った、地上に存在しない生物がアリスの周囲を取り巻く。言ってみれば、ルイス・キャロルの原作という骨組みに、シュヴァンクマイエルが好きな細部をこれでもか、と詰め込んだ感じ。まさに変態大爆発で、日本では自粛しそうなことばかりというのがいい。

　カフカやシュヴァンクマイエルのシュールで不気味な世界が大好きだったから、ミハル・アイヴァスの『もうひとつの街』（河出書房新社）も一発で気に入った。あるとき男が読めない文字で書いてある本を見つける。家に持って帰るとその文字が光り出す。気になって調べてみると、なんとプラハの裏側にぴったり寄り添って、もうひとつの街があることがわかる。本はその街で書かれたものだった。

　という導入もまったくボルヘス『夢の本』（河出書房新社）へのオマージュで、東欧と南米の想像力がしっかり結合している。このアイヴァスという人、哲学者かつ前衛小説家で、デリダやドゥルーズについて論じながら、こうした作品を書き続けているらしい。

『もうひとつの街』で僕が好きだったのはこの挿話だ。二十年前のある日、娘が緑色の路面電車に連れ去られる。その後、両親は彼女を探し続けるが、ときたま暗い部屋の鏡の中に彼女の顔が映ったり、ストーブの立てる音の中に声を聞いたりするだけで、なかなか彼女は見つからない。引きだしの中や本の間に彼女の書いたメモが入っていたりしたが、だんだんそれも少なくなった。

　こうなると、もうひとつの街とは冥界の別名のような気がしてくる。ＳＦと違って、こうした不思議な現象はまったく解明されない。ただ、本当はみんなにもいつも見えているのに、現実の生活を送るために見ないようにしている世界、という説明があるだけだ。

　この世には目に見えない、理解もできないもう一つの世界があって、それらの力によって我々の人生も左右されている。普段の論理的な思考では見えるものしか理解できない。だから世界の全体像はわからない、という精神のあり方が、チェコの作品にはどれも共通しているような気がする。だからこそ、文学や映画にこんなに力があるんだろう。

　アイヴァス同様、阿部賢一さんの素晴らしい訳で読めるのがボフミル・フラバル『私は英国王に給仕した』（河出書房新社）だ。当然ながら主人公はレストランの給仕で、彼の視点からチェコの苦難の二〇世紀をたどる。

　と言っても重苦しいばかりでもなくて、料理の描写が楽しい。僕が好きだったのは、エチオピア皇帝に出したこの一品だ。「この巨大なテーブルの上にラクダを置き、長いナイフでラクダを半分に切り、その半分をさらに半分に切ると強烈な匂いが漂いはじめ、スライスするたびにラクダの一部とレイヨウの一部が見え、そのレイヨウの中には七面鳥が入っていて、七面鳥の中には魚と詰め物と卵の輪切りが入っていた」（二一二頁）。

　つまり、ラクダの中にレイヨウ、七面鳥、魚、ゆで卵を入れて丸焼きにした、という料理ですな。そんな食べ物が美味そうに描写されている、というだけでもうシュヴァンクマイエルっぽい。

この給仕、努力してホテルオーナーになっても、背が低いせいかなかなか周囲から対等には扱ってもらえない。ドイツ人の女性と結婚したせいで、チェコ人たちからは仲間はずれにされる。だがドイツ国籍を取っても、ナチスの人々からは相手にされない。

ユダヤ人たちから奪った切手で大金持ちになるが、あとで共産主義政権に財産を奪われる。ドイツとロシアという二国に挟まれてずっと苦労をする、という点はポーランド文学と同じだ。

ロシアとの戦い、という点はビアンカ・ベロヴァー『湖』（河出書房新社）も共通している。主人公の少年、ナミには好きな女の子がいる。でも森でナミとデートしている途中、彼女はロシア兵に銃を突き付けられてレイプされる。

実はナミも母親とロシア兵の間にできた子供だった。その後、母親は彼を捨てて音信を絶つ。一度だけでもいいから母親に会ってみたい。彼は祖父母の家を出て、湖を横断するタンカーに乗り込み、やがて首都に到着する。

肉体労働で体を鍛え、出会った人々に知恵をもらって心を育てる。僕が好きだったのは、かくまってくれた老婦人のこの言葉だ。「裏切った友人が反国家の罪をでっち上げて、あなたを密告するかもしれない。いい、つねに逃げる用意を、戦う用意をしておかないとだめなの」（一三五ページ）。

常に人を疑うこと。いつでも移動できる準備をして、闘えるスキルを磨いておくこと。剝き出しの暴力と支配の中で、生き延びるための心構えを彼は授けられる。

心がフッと緩むのは、お祖母さんの出てくるシーンだ。彼女は家の床板の間に蛇を見つけると、牛乳をあげて育てる。家に蛇がいると幸せになる、というのがお祖母さんの口癖だった。外部の敵といつでも戦える力と、家族や動物を慈しみ育む姿勢。この二つによって、チェコの人々は歴史を力強く生き抜いてきたのだろうか。ベロヴァーはこの作品でＥＵ文学賞を獲得した。今やチェコ文学は文字通りヨーロッパの中心にある。

五十嵐太郎＋
都甲幸治

モダン、
ポスト・モダン、そして
オルタナティヴ・モダン

五十嵐太郎
一九六七年フランス・パリ生まれ。東京大学工学系大学院建築学専攻修士課程修了。博士（工学）。専攻は建築史。現在、東北大学大学院工学研究科教授。二〇〇八年ヴエネツィア・ビエンナーレ国際建築展日本館コミショナーを務める。主な著書に、『日本建築入門』（ちくま新書）、『現代建築に関する16章』（講談社現代新書）、『戦争と建築』（晶文社）、『被災地を歩きながら考えたこと』（みすず書房）、『ル・コルビュジエがめざしたもの』（青土社）『モダニズム崩壊後の建築』（青土社）ほか。

五十嵐太郎さんの二冊の著書『ル・コルビュジエがめざしたもの』と『モダニズム崩壊後の建築』。前者ではル・コルビュジエの作品群が切り拓いたモダニズム建築を、後者ではモダニズムが崩壊した時代の建築、さらには震災後の居住空間について論じています。モダンとポスト・モダン、その先を見据えた「オルタナティヴ・モダン」の可能性を語り合いました。

（二〇一九年九月二十三日）

オルタナティヴ・モダン

都甲　本日はどうも連休最終日のお忙しい中、わざわざ時間を割いて来ていただいてありがとうございます。今回は東北大学の教授で建築史家の五十嵐太郎さんをお迎えしてお話しさせていただきます。具体的には、二〇一八年に五十嵐先生の本が二冊、『ル・コルビュジエが目指したもの』と『モダニズム後の建築』というのが出ています。両方合わせて八百ページ！　この本の話をしながら、文学と絡めたり絡めなかったりしていこうかなと思っております。

五十嵐先生のお名前を初めて知ったのはけっこう昔で、理論的な本でしたけれども、身近に感じた機会というのがありまして、私は石川県の金沢に金沢大学付属高校という学年百五十人くらいの小さい高校の出身なのですが、記念講演誌みたいなものをもらったんですね。そしたら五十嵐さんが載ってて、「うわ、同じ高校じゃん！　二個上じゃん！」と。

五十嵐　そうだったんですか。

都甲　遠くから熱い気持ちを持って時々見ていた

ので、今日はこうしてお会いできて嬉しいです。

五十嵐　金沢大学附属中学校は付属高校にかなりの人が上がる学校なんですが、そこにも通っていました。現在は移転し、跡地にＳＡＮＡＡが設計した金沢21世紀美術館が誕生しました。こんなに人が来る美術館になるとは思いませんでした。

金沢21世紀美術館
撮影：五十嵐太郎

都甲　21世紀美術館はこの本にも出てきますね。と、内輪っぽい導入になりましたが、今日はモダンとポストモダンいうものを軸にして物事を考えて行ったらいいんじゃないかということで、この二冊、『ル・コルビュジエ』はモダニズム編ですね。

五十嵐　そうです。

都甲　『モダニズム後の建築』がポスト・モダニズム以後編。通して読んでいくうちに急に悟りが開けました。これは一つの問いをめぐって書かれてるんじゃないか。それは、「オルタナティヴ・モダン」とは何なのか。急にオルタナティヴ・モダンと言われてもみなさん何それみたいな感じですけど、わりと直近の表現なんですよね。二〇〇〇年以降になるんですか、オルタナティヴ・モダンというのは。

五十嵐　九〇年代くらいからモダニズムを再解釈しつつ、コンピューターが設計の現場に入ったり施工にも使われるようになって、近代にはできなかった新しい形のデザインが簡単にできるようになる。本格化するのは二一世紀に入ってからですけれども、それを仮にオルタナティヴ・モダンと呼んでいます。

都甲　オルタナティヴ・モダンの例としてそれこそ金沢21世紀美術館とか、白くて薄くて透明で、内側も外側もないみたいな建築が出てきた。あるいはサマンサタバサとかフランフランの内装をやっている方。

五十嵐　ど派手なデザインの森田恭通。

都甲　森田恭通さんのちょっと毒々しくてけばけばしいような、でもグロかわいいみたいな、きゃりーぱみゅぱみゅみたいなものだったり。そういう西洋的というか、インターナショナルな流れとは全然違う感覚が出てきた。

　その違うもの、単純に言えばここ三十年の、特に日本を中心とした流れをどう理解するかということを、この八百ページで考えてらっしゃるんじゃないか。そう決めつけて読んだら自分の中で腑に落ちたという、それがもう結論なんですけど（笑）。

五十嵐　なるほど（笑）。

都甲　何言ってんのって感じですか。

五十嵐　いや、おっしゃるようにこの二つの本、特に『モダニズム崩壊後の建築』では、自分が生きている中で今起きていることを、同時代的に記述しているので、まだあまり歴史的に位置付けられてないこととか整理されてないものを書くことになります。

　森田恭通さんについては、僕の編著で『ヤンキー文化論序説』（河出書房新社）というものがありますが、その中でヤンキー的なものをデザインの文脈に当てはめて考えるとどうなるんだろうと思って書いたのがきっかけです。

　もうひとつは「かわいい」という言葉ですね。

これもクールジャパンみたいな話に回収されかねないキーワードですけれども、本来建築のデザインの領域はかっこいいや美しいなどの言葉を使ってたのが、今の新しい時代の建築家は「かわいい」という感覚を強調することがある。

そうした従来のモダニズムの枠では括られないタイプの感性が登場している。ＳＡＮＡＡもそうですね。二冊目の本では新しい動向を論じているので、オリジナリティとしてはこちらのほうが高いと自分でも思っています。

都甲　かわいいとかヤンキーみたいなものが出てくる文脈としてのポスト・モダン。でもポスト・モダンが出てくるためにはその前にモダンがないと駄目だから、まずモダン編が必要になる。

五十嵐　ポスト・モダンはそもそもモダニズムに対する批判的な乗り越えみたいなものの総称なので、モダニズムが何かを分かってないとポストモダンが何をやってるかわからない。

たとえば「かわいい」という言葉や感覚が日本の中でとても発達してきた。これを建築の議論に接続すると、愛されるデザインというか使用者・利用者に好まれる、つまり受け手側の視点が入ってきたものです。

それに対してモダニズムは作り手側が圧倒的に強い。どうやって効率的に物を供給していくかという大量生産の時代とも合ってるわけですけれども、ポストモダンはその反省に基づいているので、どうやったら使い手が建築に愛着をもち、自分のものとして考えられるかというデザインをめざしていました。

かわいいというキーワードは実はそれとはつながってる部分があるんじゃないか。

三分でわかる近代建築

都甲　今気づいたんですが、お客さんの表情が暗くなってきた（笑）。たとえばモダニズム建築って東京で言えばあれだよとか、ポストモダンって誰だよとか、三分でわかる近代建築講座をやらないといけないいんじゃないかと思ったんですが。

五十嵐　まず日本の場合だと、いわゆる西洋の古典主義、赤レンガの東京駅みたいなのが明治以降の近代化を通じて入ってきました。その後、ヨーロッパから全世界に鉄やコンクリートやガラスといった新しい素材を材料とした新しい建物――今年ちょうどバウハウスが百周年で展覧会やイベントをやってますが――まったく違うデザインが広がった。従来の様式にあった装飾的な要素を排除した、幾何学的な造形の建築――日本だと世界遺産文化遺産に登録されたル・コルビュジエの国立西洋美術館や、その弟子筋の前川國男さんによる上野の文化会館とか東京都美術館。そういったものが一般的に我々がイメージするモダニズム建築です。あとはいわゆる箱型の四角いビル。

　その結果、世界中が同じ材料で均一な風景になってしまった。従来、建築というのは、その場で取れる固有の材料や各地域の文化習慣、気候などいろんな要素の影響を受けており、場所が違えば、姿も異なっていた。それがモダニズムの登場によって、どこでも一緒になってしまった。

　ポストモダニズムはそれに対する反省があって、歴史性とか場所性とか装飾とか、モダニズムが切り捨てた様々な要素をもう一回見直す流れが六〇年代くらいからアメリカを中心に起きた。それで装飾的なデザインだとかユニークな形のものが出てきて、たとえば――

都甲　都庁とかもそうですか。

五十嵐　そうですね、丹下健三さんの都庁。丹下さんも最初はモダニズムからスタートしたんですけれども、新宿にある都庁は双塔のシルエットがちょっとノートルダム聖堂みたいな、シンボリックな形を持ってます。あと外壁にある幾何学的な

――

都甲　模様がありますね。

五十嵐　あのパターンは江戸の格子戸や集積回路の引用です。当時ＩＴとかコンピューターみたいなものに注目が強くなっていたので、古いもののイメージとテクノロジーのイメージを借りて、意匠を貼り付けていく操作を行っている。極端な例でいうと浅草のスーパードライホール。

都甲　ああ！

五十嵐　あれはフランスのデザイナーが手がけたオブジェ的なデザインで、機能とか合理性からは説明できないけど強烈ですよね。

都甲　うにょーん、って出てるやつですね。

五十嵐　インパクトがあり、一度見たら忘れられないランドマークになった。

都甲　フジテレビの社屋もそうですか。

五十嵐　あれも後期の丹下さんですが、空中の球体がランドマーク性が強いので、そういうところはポストモダン的ですね。

女子に愛される建築

都甲　実例をあげてもらうとわかりやすいですね！　そこで「かわいい」というキーワードを入れるのがおもしろいと思いました。五十嵐さんが愛されるデザインと言われたときに、誰に？と思ったんですね。おそらく、女子に愛されるというのが強い要素として入ってくるんじゃないか。当たり前じゃんって言われそうですけど（笑）。

日本にはキリスト教の信者が一％しかいないのに六〇％だか七〇％の人がキリスト教式の結婚式を挙げようとするので、信者なき教会がめちゃくちゃ建っているというシュールな話が出てきますよね。どこで結婚するかはたぶん新婦が決めてると思うんですよ。

五十嵐　そうでしょうね。

都甲　それこそサマンサタバサとかだったらキラキラした設計ですよね。ああいうのを「かわいい」といって行く人たちが決めている。金沢21世紀美術館も、休みを取って金沢に遊びに行くとなったら１００％行くところじゃないですか。

そういう女子目線みたいなものが明らかに入ってきて、時代を動かしているというのが、この二冊を通して最後の「かわいい」の部分なんじゃないかと思いました。

五十嵐　なるほど、そうですね。モダニズムはマッチョな男性的な要素が強いですし、一方でポストモダンはそっちではない側の要素が認められます。威圧的ではなく、気軽に訪れやすい金沢21世紀美術館もそうですし、本当に日本は美術館や芸術祭に人が行くようになりました。

僕は「あいちトリエンナーレ」という芸術祭で二〇一三年に芸術監督をやったんですけども、来場者は圧倒的に女性が多いですよね。女性で二十代から三十代がメインです。

都甲　そうでしょうね。

五十嵐　美術館も基本的には男性より女性が多い。日本人は芸術祭は行くけれども美術館にはあまり行かないと思ってたんですよ。ただ、美術館に普段行かない人でも、パリとかロンドンとかニューヨークを訪れると、うっかりルーブル美術館に行ったり大英博物館に行ったりするんですよね。観光ガイドに書いてあるから、絶対行くという感じになっている。

日本の国内だと残念ながら、美術館はあまりそうなっていないんですけど、金沢21世紀美術館は旅行ガイドにも掲載され、普通に観光コースに入った。そういう意味では、日本国内でも美術館に観光として行くことが成立するんだと、特に自分の母校の敷地でそれが起きたので余計にその驚きが大きいですね。

都甲　「かわいい建築」とか「ヤンキー建築」みたいなのを考えてみたいです。建築だけでなく文学でも美術でも、もともとアヴァンギャルドの議論とか、ヨーロッパ的・普遍主義的な、直線的でロジカルな流れがあると思うんですけれども、かわいいとかヤンキーみたいなものは全然違うところから入ってきている。

　それこそル・コルビュジエ側から見れば、堕落したというか、おかしい方向に行ったことになるだろうし、でも別の方向から見ると新しくて新鮮な、モダニズムからポストモダニズムときて、その次の名付けようのないの謎の展開を日本で遂げてるというポジティヴな解釈もできるのかなと。そういうある種のヴァナキュラーなものに対する感性を五十嵐さんは持たれているのかと思います。

五十嵐　ちなみに『ヤンキー文化論序説』をやった当時、小説ではケータイ小説が出てきていて、速水健朗さんはケータイ小説を地方の郊外やヤンキー的な感性と結びつけて論じていました。あのジャンルは文学ではどう位置付けるんですか。世界的に見るとどこでも起きてるんですか、ケータイ小説みたいなものは。

都甲　たとえば中国からの留学生に聞くとケータイ小説とかライトノベルみたいなものは死ぬほどウェブ上にあって、人口も日本の十倍とか二十倍くらいいるので、その巨大なスケールでどんどん技術革新が起こってるみたいな話は聞きますよね。でも、ちょっと英語圏では分からないです。

　ヤンキー文化と日本文学はすごく関係あると思います。たとえばすぐ浮かぶのは嶽本野ばらの『下妻物語』とか。

五十嵐　ああ。

都甲　あれはもろにヤンキーが出てきますけど、ほかにも町田康とか川上未映子とかの関西弁を駆使した小説もヤンキー的な感性ともいえる。

　日本はずっと、大江健三郎みたいな、東大を出て文学とは何か、フランス語や英語の文献を読みながら学んでいった人たちと、ヤンキー的な元気な人たちとが両輪でこの百年ぐらいやってきたという歴史があります。

あるいは、最近は島崎藤村をやたら読んでるんですけど、藤村もインテリだと自分では思ってるけど、感覚としてはすぐお手伝いさんを手篭めにしちゃったりと、もうめちゃくちゃなんですね。常に土着っぽいものと輸入したものが対話し、お互いに誤解しながら発展してきた、という感じがします。

対話型モデルの建築

都甲　そうだ、対話の話がしたいと思ってたんです。ヤンキーとか、かわいいという感性が入ってくるのは実はすごく画期的なんですよね。

たとえばル・コルビュジエがマニフェストを出して本をたくさん書く。とても素敵な作品を作って、皆これを真似して従いなさいみたいな感じで、日本では丹下健三などが生まれる。偉い人が作るものだからみんなすごいと思いなさい、みたいな流れがこれまであった。

けれどもそれがだんだん使う人の意見を聞いたり、リノベーションで勝手に使い方を変えちゃったり、ストリート感覚の人たちが勝手にスケボーをしたり、ホームレスが住み着いちゃったり、地元の人たちと話しながらどんどんデザイン変えちゃったりと、水平的な対話型モデルに変わってきている。その対話の中で見たことがないものが生まれてるんじゃないかという議論。

この二冊を通じて一番強い議論は、対話の導入が起こっているということなのではないでしょうか。

五十嵐　大きな流れとして、モダニズムの建築家たちは民衆を啓蒙する立場で、彼らがつくった空間の器を素晴らしいものとして受容しなさいという一方的な流れだったのが、ポストモダンから対話的なものが生まれてきた。
日本の場合は、二一世紀になって設計の過程に住民とのワークショップを導入する手法が広く普及し、特に東日本大震災の後はコミュニティの問題が注目されました。

「リレーショナル・アート」とか、または「ソーシャリー・エンゲージド・アート」でもいいんですけども、アートの世界でもいわゆる対話型とかプロジェクト型で作っていくものが出てきていますが、建築でもパラレルにそういう動きは起きています。なので、そうした現象は現在進行形として書いています。

でもまた一方で、本来の大文字の建築家、建築の力を僕の中では信じたいというところがある。それが弱くなってることについても同時に危機感は覚えてるんですね。その新しい動きは肯定するんだけれども、それだけが建築の仕事になってしまうと寂しいかなと実は思ってます。

都甲　ニーズに合わせるだけでも、ちょっと寂しいなと。

五十嵐　ええ。

都甲　その点、単に地元のニーズに合わせるという小さい話じゃないところで、シチュアシオニストの話が出てきますね。

僕は坂口恭平がやたらと好きで、ＤＶＤを買ったり、あるいはいろんな本を出してるんですけれども、小説なんかはほとんど何言ってるか一行もわからない（笑）。彼はＤＶＤを出すのも、ドローイングの個展をやるのも、小説を書くのも全部建築。あるいは暮らし方から全部建築だみたいなことを言っている。

それで、パリの六八年のシチュアシオニストたちは勝手に工事現場から資材を持ってきちゃうとか、住み着いちゃうとかけっこうめちゃくちゃなことをするじゃないですか。

五十嵐　はい。

都甲　解体現場に侵入したり、ひっきりなしにヒッチハイクをしたり、アウトノミア運動の人たちはバス料金を勝手に値引きして乗るとか、坂口恭平の感じに近いなと。

つまり真面目に社会人をやってたら、どんどんつまんなくなっていって、毎日職場と自宅と、どこか決まったところを往復して何も感じないし考えなくなる。

でも変なところに入っていったり、急に変なバラック建築とか作ったり、変な人たちと会ったりすると、感覚が変わっていって、街が自分のものになっていく。単に資本主義に命令されて働かされているだけじゃないという感覚の変容を建築という視点で導入しようとしていた。

五十年前の歴史的なことかもしれないけれども、今坂口恭平がやっているような、ホームレスの家にどんどん入っていって「おじさん、これどうやって作ってるんですか、作り方教えてよ」とか言って自分も作っちゃうみたいなのと似てるなと思いました。こういうことをいろんな人が定期的にやってると教えてもらっただけでも読んでて楽しかったです。

反＝建築の系譜

五十嵐　坂口恭平さんは早稲田大学の石山修武さんという建築家の研究室から出てきた方ですが、石山さん自身かなりラディカルな建築のあり方を実践しています。

七〇年代くらいに住宅産業、いわゆる積水とか大和ハウスとかが完全に商業化するので、家を「買う」という感じになっちゃうんですね。パッケージ化された家の広告を見て買うというのが定着する。それを石山さんはショートケーキ住宅と揶揄していました。甘ったるい飾りをつけた商品ですね。

あそこにある住宅の値段は本当のお値段ではなくて、広告とか営業とかいろんなものを積み上げた高額な価格です。それに対して、「秋葉原感覚から住宅を考える」と言われてましたが、自分で住宅の材料を買って、セルフビルドで作る。秋葉原はその後オタクの街とかいろいろとイメージが入れ替わってますけども、電気街としての秋葉原です。

都甲　今だったらホームセンター。

五十嵐　自分で組み立てるように住宅を作るという、ラディカルな建築のやり方を問いかけた人です。石山さんのところからはそういう建築を解体する人が何人か出ていて坂口さんもその一人ですね。

たとえば『萌える都市アキハバラ』という、秋葉原が萌えの街に変容したことを論じた森川嘉一朗さんがいて、彼も実は石山研の出身ですね。あとは馬場正尊さん。

都甲　ああ、リノベーションの。

五十嵐　「R不動産」とか、日本の中でリノベーションを根付かせたひと。新しいライフスタイルを提案している彼も実は石山研なんです。

都甲　そうなんですか。

五十嵐　建築家も輩出していますが、反建築家と言うか非建築家的な人が石山さんのところからすごく出ている。それは出自としておもしろいと思っています。

都甲　きっと先生もそういうことを言ってるんでしょうね。この本に出てくる中でも建築行為の主体性を取り戻せとか、バラックはブリコラージュだとか、廃棄物を転用して勝手に作れみたいなことをすごく言ってらっしゃる。なんかたまんないですよね、そういうの。

坂口さんが初期に作った映像で、勝手に給水塔の水槽に入って住んじゃうとか。バイクの荷台に小さい家を作ってこれが自宅だと言い張るとか。ずっとコントみたいな感じなんですよね（笑）。著作にも石山先生が出てきて、お前はバカだからそのままで行けとか言われているのが、すごくいいなと。

五十嵐　アーティストでも、例えば川俣正さんはもともと建築に近いアートを展開している人ですが、九〇年ぐらいにアイデアとしては似たようなことをしている。たとえば自動販売機の裏に住むとか、ビルの上にある大型看板の裏に住むとか、街の隙間に居住スペースを見つけていくという展開をしている。

都甲　すごく似てますね。絶対雨漏りするような建物を作ってる人ですよね。

五十嵐　最初から崩れたような空間のインスタレーションをやってますね。

モダニズムの読み替え

都甲　面白いなあ。『ル・コルビュジエ』のあとがきで、他の人がやってるのに自分がル・コルビュジエの本を出す必要もないんじゃないかと思ったが、自然に原稿が一冊分溜まっていたので本にしましたという言い方をしていて、それだけ聞くとやる気ないのかな（笑）という感じがする割には実は大事なことが書いてあると思ったんです。

　モダニズムって、教科書的にいうと建築とは何が必要なのか。床と柱と屋根と階段といった要素に還元して、それを再構成して論理的に作るということになる。だけどモデュロールという人間の体の比率をもとにして、気持ちいいとか美しいと思う比率を考えていくとか、魔術的なものや無意識的なもの、宗教的なイメージがル・コルビュジエの中にはあったと。論理的なモダニズムと、ある種の非論理的な、ちょっとオカルト的・ニューエイジ的なものの融合点にル・コルビュジエがいた。

　我々は公式な建築史や美術史しか勉強してこなかったから、すごく論理的でインターナショナルスタイルで、世界中に広まりましたよねと思ってるけど、その裏側を見ずにル・コルビュジエの手法を勉強して真似したとしても、ル・コルビュジエの感じは出ない。そういう揺れみたいなものがあるという話はすごく重要だと思ったんですよ。

たとえば21世紀美術館とか、論理的に作られていながらすごく繊細な、弱さの中に強さがあるというか、あるいはテクスチャーの感じとか、ある種の美としか言いようがないようなオルタナティヴ・モダン的な作品を見た目でル・コルビュジエのサヴォア邸を見ると、「あれ、すでにここでやってない?」みたいな。

モダニズムとして習ってきたのとは違うものがあって、それはずっと見えてなかったけど、今になってコルビュジエをあえて歴史の遠近法が転倒した形で読み直す。妹島和世さんとかの先祖でありながら、同時代であり、さらにそこには未来がある、みたいな読み替えを五十嵐さんはなさってるんじゃないか。


五十嵐　ル・コルビュジエはおっしゃる通り複雑な人です。ヨーロッパでは建築家という職能は、そもそもルネッサンス期に確立します。設計と施工を切り離したことが重要で、逆に日本は両者が混ざった大工の伝統が続いた。

ルネッサンス期は、アルベルティのように理論的な建築書を執筆し、なおかつ万能の人みたいなイメージがあった。単に図面を書くだけじゃなくて、絵も描いたりいろんなことに長けている。

ル・コルビュジエは一九世紀の硬直したアカデミズムの教育には反抗したんだけど、根っこのところではそういう西洋の建築家像をバージョンアップして継承しています。例えば、モデュロールという比例論の話も、古典主義の建築で議論されたテーマを現代的にアレンジしたところがあるんですよね。

彼はまず本で世界的に有名になった人なんですよ。当時は今みたいに簡単に海外旅行に行けないですから、オリジナルのル・コルビュジエの作品

ロンシャンの教会
ル・コルビュジエ晩年の生々しい建築
撮影：五十嵐太郎

を見てる人はそんなに多くない。でも有名になったのは、多くの本を出版して、しかも文章がアジテーションとして優れていた。著作では、写真などのイメージも効果的に活用しました。

日本は直系の弟子がいたことから、特にル・コルビュジエの受容が盛んでした。インドネシアの留学生に、ル・コルビュジエの本ってどのくらい翻訳があるのって聞いたら、一冊もないというんですね。日本だとほとんどすべての本は翻訳が出ている。

一方で、実際に彼が作っている建築は単純な近代建築の五原則とかセオリーだけには還元できない、特に作風が変わった後期は生々しい身体的な空間があります。当時は印刷の技術も悪くて、文書に比べて、実空間の情報は完全には伝わらなかった。

そういう意味で、今我々が見たときに、当時は理解されていなかったり重要視されなかったものがわかってくる。

都甲　なるほどね。

五十嵐　妹島和世さんが影響を受けたもう一人のモダニズムの巨匠、ミース・ファンデルローエという建築家がいます。いわゆるガラスの建築で有名な人。

　彼は鉄とガラスの高層ビルのプロトタイプを作った人ですが、再現されたバルセロナ・パヴィリオンや修復されたトゥーゲンハット邸をいま見ると、ガラスの映り込みがびっくりするくらい複雑なんですね。リフレクションが。これは当時の印刷技術や写真ではまったく伝わらなかったと思います。

　で、今見ると、ＳＡＮＡＡとか妹島さんっぽいんですね。映像的な現象を引き起こすガラスの映り込みが現場では展開している。それは当時メディアを通して、完全には享受できなかったんだけど、今見ると妹島和代さんたちがやっているガラス建築と似ていたことが逆に再発見できる。

　というか、彼女たちがあれをやっているから、逆にそうしたデザインの古典化のように見える側面もあるんですよ。

都甲　柄谷行人が、最初は文物として入ってきた西洋が、アメリカ軍が入ってきていきなり身体を持ったと言っています。実際に見に行けるようになったとか、あるいはヨーロッパとかアメリカの人が来て作っちゃうとか。
　そういうことで、気持ちよさだけじゃなく気持ち悪さもあるのもあるかもしれないけど、とにかく五感を超えた空間の中にいる感じが直接入ってくるということなんですね。

五十嵐　ちなみに、ミースのバルセロナ・パヴィリオンは一回壊されたものを八〇年代に再現したものだし、トゥーゲンハット邸は数年前にすごく綺麗に修復されたもので、おそらくオリジナルよりも今のほうが、たとえばガラスの精度が高い。だから本来以上にその効果が強調されてるんじゃないかという疑いもあるんです。
　バルセロナ・パヴィリオンは一九二〇年代当時の技術だと、大ガラスで平滑な面をそんな簡単には作れなかったから、たぶん粗があったんじゃないか。でも今の技術で作ると、もっと精密にピシッとガラスで作れます。
　修復されたものを見ると、もちろんその作品にはもともとそういう性格はあったはずですが、それがオリジナルよりも強調されてるんじゃないか。

トゥーゲンハット邸
温室、外の風景、室内の風景が混ざる
撮影：五十嵐太郎

当時のミース・ファンデルローエを評価している文章で、ガラスのリフレクションの複雑さについて議論しているのを見たことがないので。修復されたり再現された際にその側面が強くなっていることと、妹島さんさんたちが今やっている建築を経たことによる現代的な解釈の両方が入っているのかもしれないと思いました。

現代から遡行して先祖を規定すること

都甲　それは一概にダメとは言えないですよね。

五十嵐　そもそもミースは、当初の図面もないし、バルセロナ・パヴィリオンの再現をできるものならやってみろと、懐疑的でした。再現や復元は常に時代の解釈が必ず入ります。
　それは文学でもボルヘスの指摘でしたっけ、カフカの登場によって、その先駆者であるギリシャの哲学者ゼノンのパラドックスが再発見される。つまり、新しい表現ができると過去の系譜が再編されるという。

都甲　そうです、新しい表現が出てくると、みなそれが前提で過去を読み直すので、見え方が変わっていく。

五十嵐　先祖が逆につくられるんですよね。

都甲　ボルヘスの短編には、ドン・キホーテの作品を一字一句違わず書く男が出てきます。時代も場所も文脈も違うからまったく違う作品になる。

あるいは似た短編で、帝国の上に皇帝に命じられて一分の一の地図を書く男の話。帝国が崩壊したあと、その地面の上に破れた地図の破片が散らばっているシーンで終わるんですけど。コンテクストが変わって再創造されるという話です。

文学にも、ジョイスなどのモダニズムがありますし、ポスト・モダンのピンチョンなどがある。それはそれで優れてるしおもしろいんですが、もっと感覚にぴったりくる、そこまで努力しなくても読めるもの——具体的には村上春樹とか、レイモンド・カーヴァーとか、八〇年代以降の文学は気持ちよさとか感覚重視で理屈はあとというふうに変わってきいます。

建築の話でかわいいとかヤンキーとか散々言ってるのは、文学も完全に同じことが起こっているんじゃないか。感覚重視とか、ヤンキーとかかわいいとか、そういう土着の手触りを重視する。

文学史でもポスト・モダンのあとを指す用語がないんですよ。でも、僕はここ二〜三〇年の、超現代のところの議論をしているので、用語も理屈がない中でどうやって摑んでいくのかという仕事もしてるんですよね。

そこでただ感覚的に「ここがいいんだ、ここが泣けるんだ」みたいな話をするのもいいんですけど、なにか理屈を作るには、「これってモダニズムの中にも、ポスト・モダンの中にもあったよね」とか、歴史化していくことが大事だし、幅が広がるんじゃないかなみたいなことを考えています。

五十嵐さんの本に悲しいシーンがあるじゃないですか。現代のものについて、歴史的に見直すみたいな話を五十嵐さんがなさったら、学生が「そういうの古いんだよね、今ふうの感じじゃない」と言ってきてイラッとするという。五十嵐さんの同世代として、自分もああいうことはあって。

五十嵐　（笑）

都甲　ちゃんと現代を見ながら、歴史の中に開いてくようなことって、ディシプリンが違ってもやっぱり必要なんだなと思いながら読みました。

五十嵐　ちなみに村上春樹さんが世界で受容されているのは、やはり多くの国のいわゆる近代社会、現代社会の中で、書かれている感覚が普通に入り込むというのが大きいんですか。

都甲　いろんな議論がされてるんですけども、僕が思ってるのは、短い時間の中で前近代から近代、ポストモダンに突入していく人たちが世界中で膨大にいます。たとえば韓国文学のパク・ミンギュという作家がいて、先日チェッコリというお店で彼が話していたんですけど、『ノルウェイの森』みたいな小説を書いたりしている。

なんでそういうのをやってるのか聞くと、日本が五十年、百年かけた近代化を韓国では三十年くらいで行った。そのときに起きるとまどいとか、アイデンティティって何だとか、愛って何なんだとか、そういう問いに対する苦悩のしかたとか答えの出し方を村上に学びながら、自分たちの現代を作っているみたいなことを言ってたんですね。

たぶんアメリカ国内も全部が先進国じゃなくて地方や民族もいっぱいいる。ロシアでも中国でも東南アジアでも、急速にポストモダンに入っていく人たちが抱きがちな苦悩を村上がパッケージ化して使いやすくしているというのはあると思います。

もうひとつはアメリカニズムだと思うんですよ。

建築も国際様式があると思いますが、文学にも国際様式はある。それは以前はフランスの人たちが作ってたんですけれども、今はアメリカのニューヨークを中心とした出版業界が作っている部分が大きいんです。ニューヨークの人たちが考えている現代文学の形を、それこそカズオ・イシグロも、村上春樹もミラン・クンデラもみんな知っててやっている。

そういうアメリカ中心・英語圏中心になった文学の国際常識を受け入れながら、同時にある種の土着的な感覚——日本的な弱さとか、優男とか（笑）、女性がよってきたらとりあえず付き合っちゃう源氏物語的な感じとか、国際様式を使いながらそういうヴァナキュラーな感覚を文学で表現していくにはこうしたらいいというのを、村上はわかりやすい仕方で教科書として示してるんだと思うんですよ。

ですから建築家の方々でいう伊東豊雄以降みたいな話とすごく似てると思います。世代も一緒ですし。

第11話

フランスお洒落帝国

とにかくフランスが一番だった。なにも一九六〇年代以前の話ではない。九〇年代初頭でもやっぱりそうだったのだ。現代思想でかっこいいのはドゥルーズやデリダ、フーコーといったフランス人ばかりだったし、映画もファッションも、とにかくフランスが偉かった。

僕も高校時代、浅田彰の『構造と力』を読んで全然わからなくて、そのわからなさに興奮した。「ルプレザンタシオン」とか「デコンストリュクシオン」とか、英語に似ているけど微妙に違うフランス語のカタカナ表記に痺れた。そして、大学に入ったら絶対にフランス語を勉強するんだ！と心に決めた。

第二外国語でフランス語を取り、それだけでは足りずにお茶の水のアテネ・フランセに通い始めた。受け持ちになった先生は生徒が間違えると「それはフランス語じゃありません！　ブルトン語です！」と、今だったら完全に差別になりそうな言葉が口癖だったけど、僕らはよく意味もわからずに笑っていた。

アテネ・フランセにはいろんな人がいた。美容師、銀行員、代議士秘書など、みんな僕より年上で、お洒落で、フランスが大好きだった。「ぜったいに今の仕事を辞めてやる。それでパリに渡って、エールフランスのＣＡになるの」。そして数年経つ頃には、本当にフランスに行ってしまう人までいた。

映画だって絶対にフランス映画だった。その頃僕が気に入っていたのは何と言ってもゴダールで、『ピエロ・ル・フー』や『勝手にしやがれ』を見てそのＢ級なかっこよさに感じ入り、『右側に気をつけろ』を見て、なんだか全然わからなくて、でもタイトルのフランス語を覚えて日比谷のシャンテ前で叫んだりした。

そしてレオス・カラックスだ。デートで見て、自分一人で見て、また同じのを見て、なんてやっていた。『ポンヌフの恋人』がお気に入りで、本気でジュリエット・ビノシュとドニ・ラヴァンみたいな恋をしたいと思った。だって失明しそうな画学生とホームレスが、セーヌ川のポンヌフ（第九橋）の上で抱きあうんだぜ。

この映画を撮ったときカラックスがほんの三十歳ぐらいだったというのもすごい。年齢が近いだけに、自分と感覚が近くて、とても新しい感じがした。それでビデオを借りてきて『ボーイ・ミーツ・ガール』も『汚れた血』も見た。「夜だからって、疲れてもいないのに眠る気にはなれないな」なんてセリフがかっこよかった。

文学もフランス趣味だった。工藤庸子先生の「プルーストを読む」という授業を取り、自分でもランボーを読み、アントナン・アルトーを読み、アンリ・ミショーを読んだ。小説ではアポリネールやジョルジュ・バタイユのエッチな感じの作品も読んだ。すべてが洒落ていて、かっこよくて、理解し難くて、素晴らしかった。

でもその後、縁あってアメリカ現代文学を専攻するようになり、英語をがんばって学び直したり、英文を翻訳したり、英語で作品を職業的に読むようになると、僕の中のフランスは徐々に退潮していった。

それは世間も同じだったのではないか。ファッションでも、以前はお店はブティックと呼ばれていたのに、いつしかショップに変わった。気づけば村上春樹や柴田元幸の翻訳した英米文学が売れるようになり、若者はサルトルやカミュを読むもんだ、という常識も薄れた。

書店の現代思想コーナーも劇的に減った。並んでいる本も、ジョルジョ・アガンベンなどのイタリア思想やジュディス・バトラーといった英米のジェンダー研究が幅を利かせるようになり、文学研究と哲学の間、というフランス人お得意のジャンルは徐々に人気がなくなってしまった。

さて、時が経ち、僕がフランスに出会い直したのは二〇一五年のことだ。東京大学の武田将明さん、桑田光平さんや柳原孝敦先生などともう十年ほども読書会をやっているのだが、それでローラン・ビネの『ＨＨｈＨ』（東京創元社）を読んだのだ。

　これがまあむちゃくちゃにおもしろかった。舞台はチェコで、そこにヒトラーの右腕ハイドリヒが登場する。彼こそユダヤ人大量虐殺の首謀者という、並ぶものがないほどの極悪人で、チェコを暴力と恐怖で支配しようとしている。彼を暗殺しようとしてチェコのパルチザンたちは、知恵と勇気を振り絞って立ち向かう。だがナチスは容赦ない。はたしてハイドリヒ暗殺は成功するのか。

　侵略者と闘う男たちのサスペンスに満ちた物語としてもすごいし、「ユダヤ人と共産主義者という一部の勢力が増長することで、国は破滅に向かっている」（三一ページ）といったデマを流して権力を握るナチスの描写は、現在のフェイクニュース批判にもしっかりつながっている。

　何より僕を驚かせたのは、僕がフランス的だと信じていた要素がまったくないことだった。長くレトリックに満ちた文章などない。哲学的な難解さもない。思わせぶりなお洒落さもない。あるのは先へと読ませる物語の力と、歴史を直視する社会的な姿勢で、それは英米の優れた作品と何一つ変わらなかった。

　果たしてフランスは変わったのか。あるいは昔からこうした要素はあって、僕の、あるいは一九九〇年当時の日本におけるフランス受容が極端に美的なものに偏っていたのか。それは全然わからない。ただわかるのは、今の自分を十分に楽しませてくれる作品が現代フランスにはたくさんある、ということだけだ。

続けてル・クレジオの『嵐』（作品社）を読んだ。二〇〇八年にノーベル文学賞を獲った彼の書く本書の舞台はなんと、韓国南部の離島だ。かつて日本軍が去ったあと、日本兵の遺体から外した潜水マスクを使って、女たちは海女として漁を始めた。

この島にジューンという女の子がやってくる。韓国人の母とアメリカの黒人兵の間に生まれた彼女だが、父親は妻子を捨てて他の基地に異動してしまった。家族に迷惑をかけないために、という理由で母娘はこの島に移住したのだ。

もちろんジューンは島の子供たちにいじめられる。だがその苦境を救ったのはキョウさんだった。日本人や黒人の血をひく彼は、ベトナム戦争従軍時代の記憶に苦しめられ、死に場所を探してこの島に辿り着いたのだ。

ひょんなきっかけで二人は出会い、少しずつ心を通わせるようになる。ジューンは思う。

「キョウさんはいろんな人を知り、いろんな国に行き、いろんな仕事をした。キョウさんが悲しそうなのはそのせいでもあると思う。だって、何でも知っているというのは悲しいことじゃないかしら？」（四八ページ）。

知識や経験が増えるたびに人間は賢くなるだけでなく、より多くの悲しみを心に溜め込んでいく。まだ十三歳の少女がそう直感的に思うとき、彼女はある意味、恋をしている。そして思うのだ。キョウさんは私を救うために、どこか別世界からやってきたのだ、と。

かつてキョウさんの恋人だったメアリーはこの島の海で死んだ。ジューンはメアリーと夢で会い、起きたあと涙を流す。その涙を見て、キョウさんは生きる意志を再び摑み取る。「その瞬間、まったく新しい自分を感じる。ぼくがむだに過ごしたあの年月が、すっかり赦され、あとかたもなく消え失せたように思える。それが十三歳の少女の涙のおかげとは」（七六ページ）。

フランス文学なのに、ル・クレジオのこの作品にはフランス人は出てこない。というか、舞台すらフランスではない。韓国やアメリカでの人種差別が描かれながら、ただ告発するだけではない。登場人物にしっかりと寄り添いながら、彼らの心の弱い部分にきちんと触れている。だから説得力がある。

『ラガ』（岩波書店）というヴァヌアツの近現代史を扱ったエッセイ集も良かった。一九世紀にアメリカで奴隷制が廃止されると国際的な綿花の価格が上がり、オーストラリアで人手が足りなくなる。ヴァヌアツなど南太平洋の人々は欺され、連れてこられて、事実上の奴隷労働を強いられる。もちろん故郷にも帰れない。

彼らの世界は、白人たちのものとは異なっていた。たとえば土地だ。「土地とは所有できるものではなく、その場所の人間たちと祖先の霊のあいだで交わされる、神秘的な約束に立つものだということだ」（六八ページ）。白人が物しか見ないその場所に、彼らは霊の世界を見る。

フランス語や英語など複数の言語との衝突からできたヴァヌアツの言語も、ル・クレジオにとっては彼らの力の徴だ。しかも島の女たちは、独立に際して自分たちが織った莚をお金として流通させることに成功した。ならば彼女たちの家は、すべてが造幣局となる。

モーリシャス島のブルトン系でイギリスとフランス国籍の両親を持ち、英語とフランス語の狭間で育ったル・クレジオにとって、こうした島から見た世界を描くのはごく自然なことだったのかもしれない。普通僕らはパリやニューヨーク、東京といった大都市にこそ現代文明の最先端がある、と思いがちだ。

でもそれは自体の半面でしかない。確かに光り輝くビルや文化は都会にこそある。けれども暗い半面はどうだろう。支配される苦しみや貧困、差別、低開発の苦しみは、むしろ辺境にこそ存在する。そして中でも島にこそ、そうした矛盾が集中して現れるのではないか。

世界の最も弱い場所にこそ、現代が最も先鋭的な形で現れる。ナイジェリアやメキシコで長い時を過ごしたル・クレジオは、だからこそこうした、韓国や南太平洋の島に視点を据えて作品を書く。

ああ、「ふらんすへ行きたしと思へども／ふらんすはあまりに遠し」という萩原朔太郎っぽい憧れのフランス像から、どれだけ僕らは遠くに来てしまったのだろう。知らないうちにフランスは、ぶつかり合う多民族の間で大きな技術革新を遂げていたのだ。

フランスにイスラム教政権ができて、一気にすべてが変わってしまう、というミシェル・ウエルベックのイヤみっぽい『服従』（河出書房新社）や、同じく現代アートを揶揄した『地図と領土』（筑摩書房）など、現代フランスには面白い作品がまだまだある。だから、フランスをノスタルジーのお洒落帝国から解放したい。そして、そこに今、息づく人々の鼓動を聞きたい。

第12話 アイス売りのおじさんとの再会

ユダヤ系の人たちにはもともと興味があった。僕が高校時代に出会い、アメリカ文学にのめり込むきっかけになったJ・D・サリンジャーだって父親はユダヤ系だし、大学に入って読み始めたマルクスもレヴィ゠ストロースもベンヤミンも、思想家や学者の多くはユダヤ系だった。そのうちユダヤ教やユダヤ系の文化にも惹かれて、ラビ・トケイヤーのユダヤジョーク集なんかを読みまくった。ユダヤ教のラビがかましてくる頓知の効いた、というかアメリカンジョークのもとみたいな、日本人の感覚では少々不可解なボケにしびれた。

レヴィナスの、他者には顔があり、その顔を前にして人は相手を殺せなくなる、という倫理学も良かった。理屈じゃないんだけど、感覚としてはよくわかる。これがホロコーストを通過した現代の思考のあり方なのか。

そしてフランクルの『夜と霧』（みすず書房）を読み、アラン・レネによる映画版も見た。ユダヤ人六百万人がナチスに、しかも二〇世紀にもなって虐殺された。このことの重さと悲しさがたまらない説得力とともに伝わってきた。

僕の中で素朴な疑問が育っていった。そもそも、ユダヤ系の人々は常にヨーロッパ文化の中心にいるのに、どうしてこんなにも迫害されければならないのか。マルクスの『ユダヤ人問題について』（岩波書店）を読んでも、サルトルの『ユダヤ人』（岩波書店）を読んでも全然わからなかった。

迫害にはそもそも理由がないからかもしれない。社会で緊張や不満が高まり、集団のエネルギーがはけ口を求める。そのとき、ただ違っているという理由だけで特定の人々が選ばれてしまう。

そもそも巨大な規模になったイジメみたいなもので、いじめられっ子にいじめられる理由などないのだから、ユダヤ系の人々について考えてもその原因はわからない。おそらく人間集団には必ず潜む悪について考える必要があるんだろう。

だがだからこそ、集団からはじき飛ばされたユダヤ系の人々は、そもそも人間とは何かについて考え抜いている。そうした外側からの視点が思想を生み、芸術を生む。ならば彼らの作品こそが、文学の中心にあるのは当然かもしれない。

僕がユダヤ系の人々と直接触れ合ったのは、日本を離れてロサンゼルスで学んでいた大学院時代だった。英語ができるつもりでアメリカに渡ったのだが、実際にはスーパーのレジのおばさんに世間話をされてもわからないぐらいで、授業に出ても全然ついていけなかった。

ダメな僕に優しくしてくれたのは、白人の学生たちではなく、韓国系やラテン系、黒人の学生たちだった。それは、マイノリティであるみんながアメリカ社会で多少なりとも心細い思いをしてきて、だからこそ僕の苦境も理解できたからだろう。

そしてユダヤ系のクラスメート二人も親切だった。僕は不思議に思った。見た目は白人と何も変わらない彼らが、どうしてこんなにも弱い人に共感してくれるのか。観察していると、彼らも白人中心のアメリカ社会に違和感を抱いているようだった。「自分たちは君らとは違う」と授業中にも明言していたし。

僕の中で、ユダヤ系は他者の痛みがわかる人たちだ、という意識が育っていった。だからこそ、イスラエルという彼らの国家がパレスチナの人々になぜあそこまで暴力的に振る舞うのかがわからない。さんざんイスラエルの歴史を読んでも、どうしても自分の知っている彼らとは重ならないのだ。

もちろんそうした意見は素朴すぎる、ということは頭ではわかっている。個人で見たらみんないい人だ。だが一度国家となれば、日本だろうがアメリカだろうが、極端な暴力に走ることはままある。そしてイスラエルもまた普通の国家であるだけだ。

だがそうした知的な理解は、僕の実感にまでは届かない。そしてこうした素人くさい疑問を今後も抱え続けていきたい。それでもまだ人を信じていたいし、組織は全部悪いに決まっている、と訳知り顔で語るようにはなりたくない。

現代イスラエルを代表する作家、アモス・オズの短編「遊牧民と毒蛇」は、こうした国家と個人がぶつかり合う瞬間を捉えている。イスラエル南部が干魃になり、このままでは遊牧民たちは死ぬしかない。そして政府は彼らに移動を許可する。

北にやってきた彼らを迎えたのはキブツの人々だ。彼らはベドウィンを野蛮人と見下して一切関わらない。そしてベドウィンの若者たちは夜、キブツに忍び込み、少しずつものを盗み、農業施設を勝手に使う。それもこれも生きるためだ。だがキブツの人々は許せない。

遊牧民とキブツ、二つの人々の間はどんどん険悪になる。ベドウィンの犬が吠えると、キブツの犬たちが怒り狂う。そしてある日、キブツの女性が忍び込んでいたベドウィンの若者と偶然出会う。二人は語り合い、いつしか恋愛のような雰囲気になる。だが結局はすれ違い、彼女は若者に襲われそうになった、とキブツの人々に告げる。

キブツの指導者が下手なアラビア語でしゃべり、ベドウィンの長老は流暢なヘブライ語で答える。文明と野蛮、味方と敵が次々と入れ替わる。そもそも、ベドウィンの土地を奪い農地に変えること自体が野蛮なのではないか。そしてまた、自分たちの罪を直視しないままの、上から目線の共存など成立するわけがないではないか。アモス・オズの批判は核心を突いている。

さて、僕が会ったことのあるイスラエルの小説家は一人しかいない。作家であり、映画監督でもあるエトガル・ケレットだ。『突然ノックの音が』（新潮社）の翻訳出版に合わせて、彼と対談のイベントをした。

いかにも話し好き、という感じの彼は、休憩時間も本番も関係なく、笑い話や小話を無限に続けてくれた。まさに作品どおりである。あるいは、ユダヤジョーク集そのままで、なんだかとても嬉しかった。

もちろんその間にも彼はヒリヒリするようなエピソードを入れてくる。彼の話で覚えているのは、たとえばこれだ。もしイスラエルの飛行機が不時着して、中東の国に降りたとする。そうしたら、ただイスラエル人だというだけで自分は罪人として捕まってしまう。

あるいはこれだ。イスラム国の人たちはイスラム教徒以外全員殺す、と言っているから、彼らとは共存できない。でもそれ以外のイスラム教徒とは絶対共存できると思っている。

自分が自分であるだけで犯罪という状況、にも関わらず、共存の夢を語る精神構造。もはや好戦的だか平和的だかわからない。でもこれがイスラエルの良識派の立場なのだろう。

彼が妻のゲフィンと撮り、なんとカンヌ映画祭で新人監督賞を獲得してしまった『ジェリー・フィッシュ』を見た。ものすごく良い作品で驚いた。主人公の若い女性は貧乏暮らしで、アパートの天井からはいつも雨漏りしている。結婚式のケータリングの仕事はクビ寸前だ。

ある日、海辺でボーッとしていると、腰に浮き輪をはめた五歳の少女が海からあらわれる。名前も住所もわからず、警察に連れて行っても引き取ってもらえない。仕方なく自分の部屋で数日預かることになる。

でもケータリングの給仕の仕事は休めず、会場に連れて行く。そこで少女は服だけ残して消えてしまう。彼女を探しているとクビを言い渡される。主人公は同時に首になったカメラマンの女性の家に転がり込み、一緒に少女を探そうとする。

実は主人公の父母は、彼女が幼いときに離婚していた。唯一の思い出は、家族で行った海水浴だ。でもあのときも父母は海辺で言い争っていた。そしてまた来ると言ったアイス売りのおじさんにも、二度と会えなかった。

果たして少女は実在するのか。あるいは主人公の中に今もいる、子供時代の自分なのか。再び海辺で少女を見つけた主人公は、彼女を追って海の中に潜る。それは、自分の心の奥底に潜りこむという作業だったのかもしれない。

溺れる寸前でカメラマンの女性に岸に引き上げられた主人公の前に、あのときのアイス売りのおじさんが現れる。彼女はとうとう自分の過去と和解できたのだろうか。とにかく彼女は傷ついていて、ポップでＢ級な笑いのある作品を通じて、主人公の感じている寂しさや悲しみが観客にまで伝わってくる。

映画だけではない。ケレットの作品には『ピッツェリア・カミカゼ』（河出書房新社）というグラフィック・ノベルもあって、なんと邦訳も出ている。「クネレルのサマーキャンプ」という中編が原作で、グラフィック・ノベル版のほうが少々シリアスな雰囲気だが、内容はほぼ同じだ。

主人公は自殺して、自殺者専用の冥界に行く。とはいえ現実のイスラエルとほとんど同じで、細かい部分がちょっとずつさえないだけだ。テレビでは出演者たちが、どんなふうに自殺したかを面白おかしく話している。主人公は行きつけのバーがあるが、生きていた頃同様、全然モテない。女の子はすべてブロンドのイケメンにさらわれてしまう。

このバーで知り合ったのが、同じくモテないアリだ。両親も弟も自殺している彼は冥界で温かい家庭に暮らしている。主人公が訪ねると、親父さんは古くさいジョークを飛ばし、お袋さんは手料理を振る舞ってくれる。

転機になったのは、主人公が好きだったエルガが自殺してこの世界に来ている、という噂だった。なんとかまた会いたい。そして主人公とアリは彼女を探す旅に出る。そこで彼らを出迎えたのが、道で昼寝をしていた、間抜けな天使のクネレルだった。とうとうエルガを探し出しても、彼女は冥界でちゃっかり別の男を作っている。

自爆テロをした顔がつぎはぎだらけのアラブ人がバーテンをしていたりするこの世界には、

イスラエルやパレスチナの大義など存在しない。ただ人間のちっぽけさや悲しさ、切なさがあるだけだ。

生まれた国がイスラエルだろうがどこだろうが、生きることは十分に辛いし、傷つくこともある。それでも人生は続くし、ほんの少しの笑いや優しさが沁みることもある。考えれば当たり前のことを、ケレットは作品を通じて語っているのではないか。

ドミニク・チェン＋
都甲幸治

他者と共生する社会を作るテクニック

ドミニク・チェン
一九八一年生まれ。フランス国籍。早稲田大学文学学術院・准教授。NPOコモンスフィア（クリエイティブ・コモンズ・ジャパン）理事。株式会社ディヴィデュアル共同創業者。二〇〇八年IPA未踏IT人材育成プログラム・スーパークリエータ認定。
著書に、『未来をつくる言葉：わかりあえなさをつなぐために』（新潮社）、『謎床：思考が発酵する編集術』（晶文社、松岡正剛との共著）、『電脳のレリギオ：ビッグデータ社会で心をつくる』（NTT出版）、『インターネットを生命化する：プロクロニズムの思想と実践』（青土社）、『フリーカルチャーをつくるためのガイドブック：クリエイティブ・コモンズによる創造の循環』（フィルムアート社）等。

情報学研究者としてメディアテクノロジーの先端に携わる一方、フリー・カルチャーにまつわる活動でも大きな実績のあるドミニク・チェンさんと、これまでの研究活動の集大成ともいえる位置づけになる新刊『未来をつくる言葉』を踏まえて語り合う第五回。国際色ゆたかな出自から先端技術と身体の交点、そして新たな共生社会へと話は及びます。

（二〇二〇年一月二十二日）

中国とフランスの名前

都甲　一週間くらい風邪を引いてまして、声が出るか分かりませんが……

チェン　なんと、お大事にしてください。

都甲　途中でむせたりしても無かったことにしてください。こちらがドミニク・チェンさんです。紹介するのが非常に難しい人ですが、とりあえず早稲田大学の同僚です。

チェン　僕は三年前に着任して、その初年度に学内のとある委員会でご一緒しました。

都甲　そのときはあまり話さなかったですけど、ただ名前がすごく興味を掻き立てるというか。チエンって、陳という名前ですよね。

チェン　中国語ではそうですね。

都甲　ドミニクって絶対フランスの名前じゃないですか。

チェン　はい、そうですね。

都甲　フランスと中国の名前の、どういう生い立ちの方なんだろうと聞こうと思ったら今度の本に全部書いてあった。

チェン　今までそういうことはあまり書いたり話

したりもしなかったんですけれど、何度もこういう質問を受けてきたので、一度ちゃんと書いておこうと（笑）というのは冗談ですが、いろんな国の文化に属している家族について書いています。
　なんでチェンなのかというと、僕の父方のおじいちゃんが台湾人の陳さんという人だったのでそちらから来ている。フランス語の名前がついてるのは、僕のおばあちゃん、つまり父の母親がベトナム人だったからですね。ベトナムはご存知の通りフランスの植民地でした。僕のおばあちゃんはフランス語教育が盛んだった時期にベトナムで育ったのでフランス語ができたんです。

都甲　うん。

チェン　僕の父親は、台湾では台湾語や中国語、日本語を教わり、ベトナムではフランス語を習得し、香港で英語に魅了されました。当初の国籍は台湾なんですが、ベトナム戦争が起こったりしてあちこち移動するんです。彼は台湾からベトナムに行って、今度は香港に行って、そこから東京に留学に来るんですね。そこで勉強してる間に日本人の、僕の母親と出会った。

都甲　そうなんですか。

チェン　そして結婚すると子供ができました。しかし、まだ院生で、仕事がない。どうしようというちょうどその時、東京のフランス大使館で、フランス語ができるので現地採用のアルバイトをしていて。

都甲　そういうことだったんですね

チェン　フランス人の将校に中国語を教えてたんです。そうしたら仲良くなって、正式にフランス大使館の職員にならないかとオファーを受け、子供も出来たばっかりだし、ありがたい話だったので、やりたいですと。すると、フランスに帰化したら外交官試験を受けられるからフランス人にならないかと聞かれたそうです。

都甲　就活としてはハードルが高いですよね。国籍を変えろと。

チェン　そこで悩むのが普通だと思うんですけど、僕の親父は「じゃあなります」って。

都甲　なっちゃうんですか！

チェン　しかも一度もフランスに行ったことないんですよ、その時点で。

都甲　すごい。空想上の国ですよね、もはや。

チェン　言葉は喋れるし文化もベトナム経緯とはいえ知ってるから、それでいい仕事が手に入るんだったらなっちゃうかと。そんな父親ですね。

都甲　いいなあ。

チェン　僕は東京で生まれ東京で育ちましたが、日本の法律だと十八歳までは二重国籍がＯＫなんです。だから僕の周りの日本人とフランス人のハーフの子供たちは、日本で生まれると日本とフランスの戸籍両方を申請するんです。でも僕の父親は日本の戸籍を申請するのを忘れちゃって。

都甲　ゆるいですね（笑）。

チェン　だからフランスの戸籍しかない状態で東京で育ちました。

都甲　二つルーツのある人がどっちを取るか、大人になるときに悩むというのは定番ですよね。ところが国籍を取るのを忘れたからそもそも悩みがない（笑）。おじいさまはベトナム研究者ですよね。

チェン　ベトナムの近代史をやった人です。僕も最近になってようやくおじいちゃんの研究について詳しく知ったんですけれども、ベトナムは元々独自の文字を持っていなかったこともあり、また重なる戦乱で歴史書が散乱してしまっていたんです。なので通史がきちんと紡がれていなかったらしいんですね。

都甲　はい。

チェン　それで、一九五九年から一九六二年まで、南ベトナム大統領の依頼で、ベトナムの歴代王朝の歴史記録を収集してまとめて、編集作業を行ったそうです。その後、二十年ほどかけて「校合本大越史記全書」という本にまとめ直したんです。

都甲　すごいですね！　ベトナム人じゃない人が、ベトナムというひとつの国家の記憶を作っていった。

チェン　僕がティーンの頃に亡くなっちゃったんですけど、今生きていたら質問攻めにしたかったですね。

フランス人学校の哲学教育

都甲　ドミニクさんの本を僕は今回のためにほぼ全部読破したんですが、今回のこの本はその中でも非常に特異で、自伝的なことがすごくたくさん書いてあります。今までも少しずつ出てきてはいたんですけど、自伝的なこととここ十年くらいの活動が組み合わされて書かれていて一番とっつきやすいし、内容的にも先に進んでると思いました。

　伝記的な話がおもしろくて、確かに飯田橋駅近辺にフランス語をどえらい大音量で喋りながら歩いている子たちがいたなあとか。

チェン　それ、僕の母校ですね。

都甲　フランス人学校が存在するのは知ってたんですが、どういう教育をしてるのか知らないので、書いてあることを読んで驚きました。哲学の授業でヘーゲルの弁証法を教える。正反合みたいな議論の構造を徹底的に叩き込まれるという、日本でそんなことをやってるとは。日本で弁証法的に喋る人なんて会ったことないですよ。

チェン　まあ、とはいえ、フランス人が全員弁証法的に話すわけでもないとは思うんですけど(笑)。僕の頃は、高校三年になると文系と理系と、もう一つ経済系という三つのコースにわかれてました。最近フランスで教育改革があってちょっと変わったと思うんですけど、自分の専攻と関係なく哲学は必修だったんですね。高校三年で文系理系関係なく弁証法を叩き込まれる。

都甲　「人間にとって芸術とはどんな役割があるのか」ってテーマで膨大な量を書いて、それで先生に褒められる。すごい教育法だなあと思いました。

　確かに会議のときにドミニクさんが、「あえて反論としてはこういうことが考えられますね」みたいなことを言って、この人何言ってんだろうみたいに思ったことあります。弁証法をやろうとしたんですね。なんとなく無視されてましたけども。

チェン　確かに（笑）大学を出てからはずっと日本で仕事をしてきましたが、ドミニクさんは会議のまとめ方が日本人とは違うって言われることはありますね。

都甲　違うことはわかるけど、どう違うかわからなかったんです。これを読んでちょっとわかってきて嬉しい。

チェン　常套句なんですけど、フランス人は政治談義が好きと言われます。僕も確かに好きなんですけど、日本だと居酒屋で会社員同士でわいわいやってるときに、あまり政治の話はしませんよね。フランス人は、全員とは言いませんが、政治の話を酒の肴にしてその話自体をエンジョイすることがある。そういうとき、その場の全員の主義主張が同じだと逆につまらないんですね。

都甲　話が止まっちゃいますもんね。

チェン　たとえば左寄りの人しかいなかったら、じゃあお前右やってとか、ロールプレイして右と左のバトルを楽しむ。そういうマインドはありますね。

都甲　一番驚いたのが吃音の話。なぜかというと、チェンさんが吃音だとは全然わからなかったからです。吃音をどういうふうに回避するかとか、あるいは別にわかられてもいいやと思えるようになる前となった後で、考え方や生き方がどう変わったのかみたいな話が書いてあります。伊藤亜紗さんの『どもる体』という本がありますが、体が一番身近な他者であって思い通りにならない。

チェン　はい、吃音は体内の別の生き物みたいな感じがしますね

都甲　伊藤さんは思い通りにならない体と付き合っていくうちに考え方が変わっていく人たちの話を書いてるじゃないですか。ドミニクさんがＩＴ関係の話で言ってることも、あるいはコミュニケーションの話も、ある種の吃音というか、自分の体との付き合い方がから出てきているのかな、と思いました。ドミニクの統一原理みたいなものがわかってきた。

自分の身体という他者

チェン　伊藤亜紗さんは、東工大の准教授で、様々な障害を持っている人たちにロングインタビューをして研究されています。当事者の語りを分析して、その人が知覚している世界を、非常に文学的に記述されている素晴らしい研究者です。『どもる体』というのは様々な吃音者にインタビューをして、吃音を持っているとはどういうことなのか、解き明かそうとしている本です。五人ほどの吃音者のインタビューを収録しているんですけれども、そのうちの一人が僕なんです。

　当時、伊藤さんと一緒に『情報環世界』という本を書いていました。「環世界」というのは、その生き物にしか見えていない世界、つまり外部からは定義できない、その生き物に固有の体から立ち上がる世界のことなんですが、その流れで、吃音もひとつの環世界を作るよねという話になり、そこで「吃音なんですか？」と亜紗さんにロックオンされて（笑）、インタビューさせてくださいと頼まれました。僕自身も吃音について人前で話したことがなかったので、ぜひ分析してほしいと思って、お話したんです。

　そのことがきっかけで、自分の吃音を相対化して考え直すことができたので、今回の本の中でも

言及しています。亜紗さんに僕は「隠れ吃音」という診断を受けたんですね。そんな分類があるんだと驚いたんですけども。吃音と言っても重度の方もいれば軽度の人もいるので、重度の場合は厚労省が正式に障害手帳を発行する制度もあるともそのとき初めて知りました。

　これまではずっと自分の吃音を隠したいと思ってたんですよね。こうやって人前でお話しするときも実はオンゴーイングで吃音が発動しているんですけれども、特にティーンエイジャーの頃なんかは、どう相手に思われるかすごく気にして抑圧してたんですね。なるべく人に悟られまいとテクニックを磨いているうちに隠れ吃音になっちゃった。吃音という自分の意のままにならない他者が自分の中に潜んでいる感じなんですよ。

　今もこうしてお話ししているときに、いろんな単語熟語が頭の中に浮かぶんだけれども、たとえば僕は自分が所属する大学ですごくどもってしまうんです。

都甲　早稲田ですか。

チェン　そう、だから「早稲田」って言いたくないんです（笑）。言えないから、今何やってるんですかと聞かれると、大学の教員ですとしか答えられないときがある。

　あと自分の名前ですね。ドミニクの「ド」がすごくどもるんです（笑）。ミクロなレベルで、自分の名前を言わなきゃいけないときに回避する戦略をリアルタイムで練っている。ずっとスパーリングしている感じなんですよね、一人で吃音なる存在と。

都甲　へえぇー。

チェン　伊藤亜紗さんと話しているときに、吃音という自分の体の中に三十年以上一緒に生きてきたものについて、明日何か特効薬みたいなものができて治るとしたら飲みますかと聞かれました。その場にいた五人全員が吃音者だったんですけども、全員それはおそらく飲まないと答えました。

都甲　治りたいと思わない日はないが、治る薬があると言われれば飲まない。そこが微妙な、いいところですよね。

チェン　もちろんスムーズに話せるようになったら、今の苦痛から解放されるのはわかる。けれども、その吃音と一緒に培った今の自分の話し方がある。話し方というのは表面的なことだけではなくて、自分の思考が駆動されるフィードバックシステムを成してるんですよね。だから、もし今流暢にしゃべれるようになったら、自分の思考パターンが一回リセットされるんじゃないかという恐怖があるんです。

　自分の体のテンポとかリズムが自分の思考をブラッシュしていって、物を作ったり書いたりすることの源泉が吃音との関係だとしたら、それほど悪いものでもないのかなって気になってきたんです。

コントロールする／しない

都甲　人のあり方として二種類あると思うんですよ。ひとつは支配しつくす。敵を殲滅しつくす。コントロールしつくすみたいなのが好きという人。それと、なんかよくわかんないけど別にいてもいいよっていう、よくわかんない人と一緒にいよう、みたいな考え方。

　お互い教育活動をしているわけですが、教員にも、俺の言うことを百％聞けっていう人と、お前何言ってるかわかんないけどおもしろいからいれば?みたいな人がいると思うんですね。

　自分はコントロールしつくすことには興味がない。いろんな人がいろんなことを言って、おもしろかったね、で終われればいいと思ってて。だからそういう直さないとか消さないみたいなのはいいなと思いました。

チェン　僕も完全にそのタイプです。僕のゼミにはモグリのゼミ生が三人くらいいて、正規のゼミ生よりもアクティヴに参加したりして（笑）。時々どの子がゼミ生で誰がそうじゃないのかわからなくなる。

都甲　誰かわかんない人がいるっていいですよね。わかります。

チェン　吃音についても、よくわからないものが長年自分の中にいたけれど、それがいてくれて良かったと思えるようになってきたというか。でも、今のコントロールという話はこの本の中でもけっこう主題になってますね。

都甲　コントロールするかどうかみたいな話がずっと出てきますよね。

チェン　大きな話になっちゃいますけど、社会的にも重要なキーワードじゃないかと思います。ITという言葉が出てきましたけども、ITというのは基本的にコントロールしつくす発想で発達してきたものですから。

都甲　スピードが最高でエラーが最小みたいなものが理想としてある。そしてできれば一番儲かるもの。

チェン　経済効率性ということですよね。僕は大学院に入って、工学部の情報理工という領域の近くにいて、失礼な言い方だけどコントロール型の考え方の人が多かったんです。そういう文化には馴染みつくせない感じがあって。

都甲　さっき控室で話に出た西垣通先生なんかはそっち側でないですよね。

チェン　西垣先生は、東大の計数工学という、本当に数学の地頭がいい人しか行けないところの出身で、日立という会社で八〇年代にスーパーコンピューターの開発をやっていた、バリバリのエンジニアだったんです。ところが八〇年代になってスパコン開発が全体的に頓挫したんですね。

それで西垣先生は文転されて、社会学や人文系科学をやられるようになり、東大の情報学環で基礎情報学という独自の学問をご自身で立ち上げた。僕も西垣先生のゼミに参加するようになり、博論の副査をお願いしました。今の人工知能の潮流を批評的に語られる方で、コントロール型の思考でコンピュテーションを扱う限り、人間自身が人間をコントロールする発想から自由になれないと。

僕は彼の薫陶を受けていることもあり、人間的なコンピュテーションとは何かということを、いろんな活動で研究しようとしています。

都甲　エラーとかバグがあるところにこそ、新しいものが生まれてくることがあるという議論がずっとあるんですね。『どもる体』に出てくる話でいいなと思ったのがヒップホップの話で、わざわざ濡れないように歌詞カードをビニールで包んで、シャワーを浴びながらラップの歌詞を覚える話が出てきますね。

僕もラップは好きで、別にやるわけじゃないんですけどある程度聞いたりはしていて。

そう言えばKrevaかな、ラップってどこがいいんですかとか聞かれて、思ったことをそのまま言えないことって言ったんです。つまり韻を入れていくことで話がズレる。

チェン　うんうん。

都甲　ズレることによって、自分が最初に考えたことじゃないことにどんどん転がっていって思わぬところに行けるから、みたいなことを言ってて、そうなんだ！と思ったんですね。

文学を自己表現と考えると、言葉は透明になる。そうじゃなくて韻という外部的なものが入ることで対話が起こって、自分が思ってもみないことを自分が言い出せるという話と、どもらない単語を検索して語っていくうちに言いたいと思ってなかった話をしているという話とすごく近いなあと。

チェン　それはすごいおもしろいですね。吃音と韻は似てるところがあるな。書かれた文章を読み上げるとまったくどもらないという人もいるんですね。普通の会話のときは吃音が出ちゃうんだけど原稿を読み上げると非常に流暢に読み上げる。僕はそっちのタイプなんです。だから書かれた歌詞を歌い上げるときにはどもらずに、ラッパーの悦楽を追体験できる（笑）それは普通の会話だと絶対感じられないわけです。

都甲　今もくよくよしながら喋ってるんですか。

チェン　いろんな吃音のブロックがやってきていて、かわしながら喋ってますね。

都甲　インベーダーゲームみたいですね。避けながら九十分行けるかみたいな。

チェン　だからヒップホップとか詩の朗読もすごく好きです。フランスの学校だと詩の丸暗記を小学校でやらされて、中学になるとその分析をやらされるんですけど、すごく好きだし得意でした。道筋が決まっていることの気持ちよさというのもあるわけですよね。

　普段の生活だと、どこに飛んで行くかわからない体というものを時には疎ましく思ったり、時におもしろく思ったりする。でも自分で詩を書くのではなくて人の詩をパフォームと言うか口述したりラップしてみるという行為は決まりきったレールの上をすっと滑っていける気持ち良さがある。

都甲　じゃあラッパーになる可能性もあったんですか。

チェン　今のKrevaさんの話はフリースタイルの話だと思うんですけど僕はフリースタイルだと、韻が来た!と思ってもそいつが吃音ブロックだったら避けなきゃいけないので（笑）。

都甲　そうか、韻を避けなきゃいけないという謎のエラーになってしまう。

言葉の外へ

都甲　この本にはソルボンヌ大学で哲学をやるかＵＣＬＡでデザインをやるかという、想像を絶する二択の話が出てくるんですけど。

チェン　いえいえ。

都甲　哲学のような書き言葉の世界は完全に平等で、たとえばアジア人や吃音者ということとは関係なくいられる空間があるんじゃないか、みたいなことをチェンさんが思う瞬間がある。でも、その理想の書き言葉の世界はなぜか途中で却下されてしまう。その理由には触れられないまま、急にデザイナーになったり、武道や能をする話に変わります。つまり、身体技法の話に入るんですよね。

　理想の哲学の共和国みたいなものが却下された理由は、なんとなくわかる気もするんだけど、ちょっと聞きたいかなと。

チェン　そうですね、高校三年の時に、今でも大事な恩師だと思っているプトトン先生という人がいて、哲学の授業の担当で、かつその年度の担任だったんです。まだ若い先生だったんですけど、彼が哲学のおもしろさを教えてくれた。

　僕は専攻は数学だったんですが、哲学の授業のほうによりエネルギーを注いでやっているうちに、君はフランスで哲学の修士とか博士まで頑張ったらいいんじゃないかと背中を押して下さったんですね。生の会話では、放送事故みたいに沈黙してしまったり、自由度が限られている。けれど文章では時間をかけて、その時々で理想的な言葉を組み立てられる。言葉をうまく紡いでいくことで、見た目とかバイアスとかコンプレックスとかを超えて人とコミュニケーションできる。それはすごくワクワクすることだと思っていたんですけれど、他方で非言語的な表現、芸術にも哲学の授業を通して興味を持ったんです。

　人間にとっての芸術の役割とは何かという課題がその年の最後に出て、僕はそれをむちゃくちゃ頑張って、満点をもらった。フランスの学校、特に高校は満点というのは絶対出さない点数なんです。日本式で言ったら九十八点くらいまでしか行かない。それほどのめり込んで考えた結果、言葉では決して言い表せない世界があることにワクワクしちゃったんですね。

都甲　言葉で言い表せない世界の話が、繰り返し出てきますね。身体的なものだとか、あるいは無意識的なものについて、手を動かすことで内側から感じることができるとか。あるいはコンピューターを使ってデザインすることで言葉では捉えられないものの形やイメージを、言葉でない言語として操作することができるとか。

　自分が体を動かすと世界が変わってきて、だから今ある現状のあり方に甘んじなくていいんだ、という発想が繰り返し出てくるでしょう

チェン　ああ、なるほど。その表現は意識してなかったです。

都甲　それがすごく興味深いなと思って。なぜかと言うと僕も、同列には語れないけど、中学のときに出始めのパソコンを買ってきて、なつかしいベーシックという言語でプログラミングをしていたんです。

チェン　僕もベーシックやってました。

都甲　プログラムを書くと機械は変わっていく。自分が働きかけて物が変わるという体験って、それまでないじゃないですか。それがすごく斬新でした。

　僕は結局コンピューター言語ではなく、自然言語でものを書いて、人に働きかけていく方向、文学のほうになぜか行くんですけど。とはいえ自分が書いたら世界が変わるみたいな感覚は、同時期のコンピューターを通した感覚としてよくわかります。ある種のカリフォルニア主義と言うか。

チェン　そうですね。

都甲　パーソナルコンピューターで、メインフレームが情報を独占するところを打ち破っていって、みんながエンパワーされることができるんだみたいなのは、今聞くとちょっと能天気な感じに聞こえるけど、でも決してなくなったわけじゃない。

そういう西海岸の思想のいいところがドミニクさんの中に残ってると感じました。

チェン　僕も子供の頃はゲームをたくさん遊んでました。でもゲームというのはどうしても受動的な体験ですよね。既にプログラミングが終わっている世界の中にコントローラーを握って入っていって、その中の自由度でいろんな体験をするという物語装置。

僕も、非常にシンプルなものですが、ベーシック言語を使ってアニメーションを作って親をびっくりさせたりしていたんですけど、そういう経験のおもしろさが原体験としてあります。

それとやっぱりインターネットが出てきたことですよね。個人的な趣味で、母方のおじいちゃんの形見でペンタックスのフィルムカメラをもらったんですね。それを首から下げて近所の公園とかに行って写真を撮って、お小遣いで現像に出してといったことをやっていた。そうしたら僕の父親がアルバイト始めて——本当は禁止されてたんですけど。

都甲　公務員なのにアルバイトをしている（笑）。

チェン　そう（笑）翻訳のアルバイトをしてたんです。それも技術翻訳。たしか原子力関係の翻訳をアルバイトでやっていて。たぶん口実だと思うんですけど、僕はこういうアルバイトを始めたのでスキャナとマッキントッシュが必要だと言い始めて。

都甲　欲しかっただけですよね、それ。

チェン　そう思います（笑）そしたら家に来るんですよ、スキャナが。僕の手元には現像したフィルムがあった。スキャナがあってマックがあって、Photoshopがあった。なんかあるからやってみようと思ってスキャンしてみたら画面に自分の撮った写真が出てきた。

都甲　その頃はもうカラーですか。

チェン　Photoshopの2.1くらいだったんですけど、

カラーでしたね。撮った写真がコンピューターの中に出てきて、切り貼りできるし、いくらでも増やせるし、なんだこれはと衝撃を受けて。だから僕にとってはプログラミングすることと、撮った写真をPhotoshopで加工することはほぼ等価な体験だったんです。

　写真を撮ってくると、世界の中から自分がおもしろいなと思ったものをフレームに捕まえられるわけです。たとえばこの部屋だったら、あの時計とか非常口のロゴマークとか、視覚的におもしろいものがたくさんあるわけですよね。そういうおもしろいものをパシャっと写真で撮って、撮った瞬間自分の素材になる。Photoshopで言うとブラッシュ、筆になる。それを組み合わせてコラージュして新しいグラフィックを作るということを十二歳くらいのときに発見して、この快楽にまみれ、友達の誰からも理解されずにひたすらずっとそれをやっていました。謎の作品を作ったりして一人で悦に入ったりしてたんですけどそこでインターネットの波が来たんですよ。

都甲　電話線をつないでやるやつですよね。

チェン　電話線でモデムにつなぐとピーガラガラガラと鳴って、三分くらい待つとようやく接続できる。

　世界中にウェブサイトがあって、あちらこちらにアクセスしているうちに、僕みたいなことをしている連中がフランスにいた。今でいうまとめサイトみたいなのを見つけたんです。そういうデジタルコラージュサイトみたいなところに十二、三歳の僕が作品をピッと送信したら、一週間くらい経ってからトップページに掲載されて。

都甲　それは嬉しいですね。

チェン　すごいな、インターネット！ってなりましたね。これがなかったら、誰からも理解されないままで終わってたかもしれない。だから、デザインやアートを学べる大学を選んだときには、そうやって作り貯めていたコラージュを作品として提出したら受かったんです。
　哲学は高校三年生の一年間だけなので、本当に入門したくらいだったんですけれども、その先にどういう世界があるのか、ある程度想像できたんですね。でも写真を撮って謎の絵を作って、みたいなことをしてた経験を思い出して、そういうことばかりしている人たちのコミュニティに行ってみたいと思ったんです。本の中では、ここまで詳しくは理由を書いてないんですけどね。

プロセスを記録する

都甲　なるほど。キリもいいので、ここでドミニクさんの作品を見る時間を設けましょうか。

チェン　わかりました。二〇一九年はけっこう制作活動に時間を費やした年でした。ひとつはあいちトリエンナーレという国際芸術祭で、仲間とやっているdividualという名義で作品を出展しました。

都甲　TypeTraceという作品ですね。これは見てると切ない。息子や娘への遺言を書いていく、みたいなやつですね。考え込むと言葉が滞るんですよね。その滞りがまた切ない。

チェン　（映像を写す）これは『Lat Words / TypeTrace』という作品です。キーボードで打たれた執筆プロセスのすべてを記録するソフトです。たとえば書きよどみとか、考えている間とか、書いて削除したり書き換えたりするプロセスがすべて記録される。
　これをインターネット・サイトで誰でも使えるようにして、あいちトリエンナーレの期間中に「あなたがもし明日この世からいなくなってしまうと想定した時に、誰か1人に向けてメッセージを書いてください」と募集をしました。「#10分遺言」というハッシュタグを使って主にTwitterで集めたところ、期間中に二三〇〇人ほどの方が

dividual inc.『Last Words / TypeTrace』（2019）
あいちトリエンナーレ 2019「情の時代」
撮影：ドミニク・チェン

書いてくださった。それを二十四台のモニターを通して会場で映し出すインスタレーションでした。

フォントが大きかったり小さかったりするのは、入力し始めて確定するまでに時間のかかったところほどそのフォントサイズが大きくなるという自動変換を入れているんです。逆にスラスラと書けた部分は小さくなる。

それと、キーボードが一台だけ会場の真ん中に置いてあって、その場に書き手はいないのにキーボードが一人でカタカタと動いている。だからちょっと亡霊的と言うか、不在の人の気配が感じられる空間になりました。

都甲　ありがとうございます。チェンさんの他の作品も見たいという気持ちが盛り上がってきました。

チェン　もう一個は発酵デザイナーの小倉ヒラクさんという人と一緒にやってるプロジェクト

で、ぬか床ロボットというものを作っています。略してヌカボット君と言うんですけど、木桶の中にぬか床と一緒にセンサーがたくさん入っていて、データはインターネット経由で記録されます。そうするとぬか床の状態が今どんな感じなのか、発酵しているのか腐敗しているのかわかるわけです。

自分の状態を把握しているのでいろいろ質問ができるんですね。GoogleHomeとかAmazon Echoみたいな感じで、「おーい、ぬか」って言うと目がパチパチして、「何？」って聞いてきます。それで「元気？」とか「してほしいことある？」とか聞くと、ちょっとかき回したほうがいいんじゃないとか教えてくれる。

さらに、今日の漬物は最高に美味しかったよとか言うと、ありがとうと答えてくれるんですけど、「最高に美味しい」「美味しい」「いまいち」「まずまず」「まずい」というのを認識してくれます。それで、ぬかがどういう状態のときに、この人にとって漬物が美味しくなるのか、ということを学習していく。そうすると、今食べ頃だよとか、ちょっと塩を足したほうがいいよとか、自分から語りかけてくれるようにもなる。

これは研究としてやっていて、去年にイギリスで開催された人工生命国際会議というところで発表したところ、アメリカの微生物学者とのコラボレーションがスタートしました。

これは「ヌカボット」なんですけれども、他の発酵食品にも応用ができて、ヨーグルトボットを作りたいという人が来たり（笑）。今やっているのはお味噌ボットと藍染ボット。これから徳島に行って藍染めボット作ろうとしているんです。

都甲　全部発酵なんですね。

チェン　発酵と遺言と何の関係があるのかという感じですが、TypeTraceがおもしろいのはその人の思考のプロセスを想像させられるんですね。一冊の本がどういうふうに書かれたかというプロセ

Ferment Media Research,
NukaBot (2019)
撮影：ドミニク・チェン

スを見てたら、百時間とか二百時間とかかかるわけですからかなり面倒です。でも十分くらいの短いテキストで見ると、何を途中で考えて結論に至ったのかということが知れたり、書き直しや書きよどみからはその人が大事にしている言葉なんだなということが想像できたりする。目に見えないプロセスなんですね。

発酵も、不可視の微生物たちがいて、その中に放り込んでおくと、野菜をすごくおいしい漬物に変換してくれる。人間の思考のプロセスと微生物の発酵プロセスは、僕は共通点があるんじゃないかなと考えていて、人間の思考の発酵と本物の発酵と、両方をやっているわけです。

翻訳のアルゴリズム

都甲　なるほど。それから、ただいまドミニクさんは翻訳に関する展示を企画しているということで、それについてお知らせいただきます。

チェン　21_21 DESIGN SIGHTというデザインの展示施設が六本木にあります。ファッションデザイナーの三宅一生さんが創設されたところです。

そんなところから「翻訳」をテーマにした展覧会のディレクターをしないか、というオファーをいただきました。「トランスレーションズ展」といって、サブタイトルが「わかりあえなさをわかりあおう」[5]。僕の本の副題ともつながっています。

翻訳のプロの都甲さんの前で言うのも恐れ多いのですが、リサーチをしながら翻訳の考え方には二種類あると気づきました。

ひとつは、さっきの話にも対応することなんですが、コントロールして、なるべく正確に漏れなく翻訳しきれると考える立場。もうひとつは翻訳とは翻訳者によっても変わってくるし、変わっても良いという発想ですね。翻訳の過程には必ず零れ落ちてしまうものがある。それをエラーとかバグとか呼ばずに、そういうものさえも慈しんだり楽しんだりする。

大きくこの二つに分けるとしたらどちらにしようかと話したときに、迷わず後者の誤訳や誤解、英語だとmisunderstandingのおもしろさが沸き立つような展示にしたいと考えたんです。そこでサブタイトルを考えた結果、「わかりあえなさをわかりあおう」というスローガンみたいな表現が出てきたんです。

会場構成としては、言語的な翻訳の世界からだんだんと非言語的な翻訳に向かう流れになっています。言語的な翻訳ということで、入り口の空間ではGoogleに入ってもらってGoogle翻訳のアルゴリズムが体感できるインスタレーションを作ってるんですね。

Google翻訳のアルゴリズムはすごく面白くて、ニューラルネットワークという人工知能の機械学習を使っています。従来の機械翻訳は一対一対応で、日本語から英語、英語から韓国語というふうにやっていました。でもGoogle翻訳は一対一じゃなくて、日本語から英語と英語から韓国語が翻訳されている場合、独自に学習が進むと日本語から韓国語をわざわざ学習させなくても英語という共通領域をヒントにして、勝手に翻訳の経路が、機械的な中間言語みたいなものが生まれてくる。こういう機械学習の挙動もかなり発酵っぽい(笑)。

Googleのエンジニアが書いた論文でも、なんでこんなものが出てくるか自分たちにもよくわからないという記述があってすごくおもしろい。

都甲　それで思い出したんですが、ベンヤミンの翻訳論ではすべての言語はお互いに翻訳されたがっているという。

チェン　「されたがっている」って言ってるんですか！

都甲　「目標言語」みたいなものが上位に必ずある、みたいな話をしている謎の論文ですけども、そのGoogle翻訳と似てますよね。

チェン　似てますね。何かフレーズがポンと渡されるとトークンと呼ばれる品詞に分類されていく。それがすべての言語が共存している大きな空間の中で一番距離の近い言葉と結びつく。それでまたつながっていって、最終的な翻訳された形になる。Google翻訳のサイトにアクセスすると〇・一秒くらいでそういう処理がされているんです。

僕たちは普段これを使ってるときには意識しないけど、そのアルゴリズムの内側に入り込んで体験してみれば、もしかしたら人間が翻訳するということに近しく感じるのかもしれないし、全然違うかもしれない。正解は誰もわかってないんだけれども、翻訳プロセスについて生身で想像できるような空間を作ろうと。

身体の感度

都甲　そう言えば、自分が英語から日本語へ翻訳するときも、なんでできるかわからないですもんね。

チェン　わからないですか、やっぱり。

都甲　どうやってるのかわからないから本当は授業できないんですけど、わかったふりをしながら教える。

チェン　どうやって教えるんですか（笑）。

都甲　自分がどうやって翻訳しているかはわからないけど、訳文がいいか悪いかはわかるので、教える時は学生にやらせて「これはいい」「これは悪い」ってずっと言うだけです。

チェン　なんか武術みたいですね。

都甲　そう、それで半年通じて学生がだんだん混乱していく。質問されれば、喋るのは得意だからちゃんとは答えられるんですけど、そうした明確な説明はある意味、全部嘘なんです。こうしたらいい、というのはわかるんだけど、なぜ良いかはそのときに作ってしゃべっているだけで。

チェン　フィクションなんですね。それでも、いいか悪いかというところには嘘はないわけですよね。その感覚がたぶん日本的なんでしょうね。日本的というか仏教的というか。

　発酵の職人さんも同じことを言うんです。日本酒を作っている杜氏の方にインタビューしたことがあるんですが、コウジカビを麹室で醸して、ちょうどいい手触りのときに次のステップに進む。そこで僕はちょっと意地悪に、センサーでやれば人間の手に頼らなくていいじゃないですかと質問してみたんです。

都甲　わりと怒られるやつですね。

チェン　怒られるかなってちょっとドキドキしながら聞いたんだけど、実際センサーは、人間じゃなくてもいいところはけっこう入れている。だけど手触りだけは教えられない。言葉にできないし、数値にも還元できない。つまりセンサーの感度のほうが粗いんですね、人間の手が感じていることよりも。

都甲　ああ。

チェン　「この感じ」って言葉にできないから、自分の手で触ってみて、こうじゃない、ああでもないとしか言いようがない。そうやって自分がマスターしている感覚に弟子たちが近寄ってくれるのをただ待ち続けるしかないんだと言われて、心底なるほどなぁ、と思ったんです。

　つまりテクノロジーの解像度が全然足りてない。だから人間の肌の感触がいまだに継承されている。それってすごいことだと思うんですね。

都甲　どの代の人もただ教わったからそうなったわけじゃないんですよね。自分で苦しんで発明していったのに、なぜか先代と同じところまでピタッと行く。逆に言うと、行った人じゃないと後継者になれない。それは何なんでしょうね。

チェン　マニュアルを作って、ここまでは書いたからあとは頑張ってねみたいにしても、そこそこまでは行くと思うんです。基礎体力を身につけるところまでは。そこから先のセンスみたいなものは言葉にできない。

都甲　レポートとかも、よかったのを印刷してみんなに配るんですが、「これがいい」とは言えるんだけど、どういいのかは説明できない。先生だから説明しますけど、やっぱり全部嘘。

チェン　今日は学生さんいらしてるんですか。

都甲　います（笑）。さっきから笑ってますけどね。学生には授業で混乱してほしいんですよ。みんな頭がいいので、説明したら大抵のことはわかる。でも説明を聞いたぐらいじゃ大抵のことはできるようにならない、というのを体感してほしいんですね。

チェン　混乱してほしいって、いいなぁ。でも、年々、教育の指針は混乱を避けるほうに進んでるじゃないですか。それは対抗しないといけないですね。

都甲　いや、対抗する気もなくて、自然に喋っていると学生が混乱したり不安になったり、あと不快な思いをしたりするんで。なんかいい感じで引いてるな、みたいな。

チェン　いい感じで引いているっていうのは、矛盾したような感じでいいですねぇ。

対話と共話

都甲　対話と共話というのが出てきます。僕は対談の仕事が入ると、けっこううまくやる自信があるんですけど十回に一回ぐらい、相手が怒って暴れることがあるんです。

チェン　え、暴れるんですか。

都甲　失礼だろう!とか言って。なぜだかこの本を読むまでわからなかったんですけど、対話しようとしてたんだなと。つまり、あなたはこう言うけど、私はこう思います。あなたはいまこう言ったけど、私はこう思います、みたいな。

なぜかというと、日本の大学院でもアメリカの大学院でも、そうやって喋れと教育されてきたので。

チェン　そうですよね、特にアメリカでは。

都甲　だけど日本で普通に暮らしてきた人にとって、それは生意気だ、人の話聞いてるのか、年上だぞ!みたいになって、喧嘩を売られてると思うおじさんがけっこういるんです。

　共話はこの本の定義では相手が話し始めて、「春になると……」「あったかくて気持ちいいですよね」「気持ちいいって最高ですよね」みたいな感じで、一文を二人で完成させながら共に考える。日本語の会話はそっちのほうが普通なんじゃないか。向こうは共話するつもりで、こっちは対話するつもりで行ったために喧嘩になった。ということがわかり、大学院教育を恨みました（笑）。

チェン　水谷信子先生と言う言語教育学者がいらっしゃいまして、日本に来ている留学生たちが、日本語が上達するかということを現場で観察されてきたんです。
　彼女の出した結論は、日本語が上手いというのは、決して文法を全部マスターするとか、語彙がすごく多いとか、完璧な日本語を喋るということではなく、共話ができることなんだと。そうしないと自然な日本語にはならないとおっしゃってるんですね。AとBの二人でフレーズを一緒に創っていく。
　それは抽象的な意味じゃなくて、本当にフレーズが完結しないままAさんがBさんに渡しちゃう。「今日さあ」みたいに話し始めて、何も言わない。Bがそれを察して、「ああ、気持ちいいよね」みたいな。
都甲　でもミニシアター系というか、ちょっと芸術っぽい日本の映画ってこんな感じですよね。小津安二郎とか、ほとんど説明してくれない。
チェン　暗黙の文脈が共有されているということですね。僕は能の中に共話があるということを知っていろいろ調べていたら水谷先生の研究に行き着いたんですけど、英語とかフランス語でもできるんじゃないかと思ったんです。
　それで、英語話者とかフランス語話者の友達にこの内容を説明して共話してみようとやってみたんです。でも日本語みたいな感じにできないんですね。
都甲　それはいちいち主語を立てるからでしょ。
チェン　そうなんです。フランス語も英語も主語を立てないほうが難しいんですね。
都甲　「私は」って相手が言い出したあと、勝手にこっちで続けるのって失礼ですもんね。
チェン　まあまあ失礼ですよね（笑）。
都甲　日本語でもおかしいんですけど、なぜか日本語だと主語をぼやかしながらスッと入るほうが礼儀にかなっている。
チェン　相手に相槌を打たせる間があるほうが、

自然に共話が発動されるんです。相槌は日本語においては英語の会話の二・六倍くらい多いという分析研究もあるのですが、対話というのは、さっき喧嘩になると言ったように、カクカクしてるんですね、会話の進行が。AとBがいると、Aがしゃべり終わって初めてBが入ってくる。

都甲　なるほど。僕はスイッチが入ると日本語で話していても思考が英語ベースに変わって、リアルタイムで翻訳しながらしゃべるようになるみたいなんです。

チェン　つまり、その場は日本的な、共話的な感じなんだけれども、英語で考えてそれを日本語に翻訳してしゃべっているということですね。

都甲　だから相手とはすごく合わなくなる。

チェン　僕の委員会の例と一緒ですよ。弁証法的に、「あえて反論を言うとですね」とか言い出して。

都甲　だから他人ごとと思えないです。

チェン　共話のプロセスを見ると、Aが喋っていると点線になるんですね。点線というのは、まだ言い終えてない状態でBが相槌を打ったり、「そうだよね」と言って声を被せてきたりする。被ってるので、音声ファイルを見ると二つの波形が一緒くたになっていて切り分けづらいような状態が共話では発生する。だから一緒に会話を作っているという意識が芽生えるんですよね。

都甲　このぬるま湯的な感じが気持ちいいわけですよ。日本には対話がないとか教えてるわりには僕も、ぬるま湯が好きみたいな部分もある。これ、どうしたらいいですかね。

チェン　水谷さんは共話のほうが対話より優れてるとは一言も言ってないし、そう捉えられてはいけないと断り書きを入れてるんですけども、たとえば仕事とか会議とかは共話では進まないんですよ。

都甲　小津安二郎の出演者みたいな人しかいない

会議なんて、めちゃくちゃ無駄ですよね。

チェン　仕事をする上では対話のほうがサクサク進むというのはあります。「建設的」という言葉はあまり好きではないけれども、基本的に対話すればいいと思う。

でも共話というモードもあると知ることで、対話スキルを身につけないといけないみたいな強迫観念から自由になれると思うんです。どういう時に共話を使って、どういう時に対話を使うという使い分けを覚えたら楽になるんじゃないかと思うんですけどね。

コントロールと共生

都甲　ベイトソンが出てきますが、僕もベイトソンはすごく好きです。授業でも取り上げてるんですよ。

チェン　そうなんですか、どの本を？

都甲　『精神と自然』ですね。あれもやっぱり共生するかコントロールするかみたいな話をしてたのかなと、ドミニクさんの本を読んで思い出しました。

ドミニクさんが解説を書いてらしたモリス・バーマンの『デカルトからベイトソンへ』という本で、アルコール依存症を撲滅しようとすることによって、どんどんコントロールできなくなる。コントロールを手放すと止められるみたいな話がありましたよね。それをベイトソンの理論と対応して語っていて。

チェン　ダブルバインドですね。

都甲　ベイトソン的な、コントロールを手放すという話と、ドミニクさんがずっとやってらっしゃること、たとえばフリー・カルチャーの話もつながるのかなと思いました。

チェン　はい、だから今回の本のサブタイトルは「わかりあえなさをつなぐために」なんです。

まさに解決とか乗り越えとか克服みたいなこと

ではないロジックを、この世の中に増やしたいなと思っていて。それを詩的な、ポエティックな方向で増やしていく文学・詩学もどんどん増えていってほしいと思うし、他方でコンピューターやデザインをやってる人たち、あるいは何らかのプロジェクトとして国や社会を作っていく人たちなど、あらゆるレイヤーにおいて、共通の文体にできれば、みんなもっと楽になれるはずだと思います。

　日常の中で「わかりあえなさ」を否定したり、なかったことにするのではなく、そのまま楽しんだり、時には喧嘩したり、苦労しながら一緒に生きていくという微細な方法をみんなで積み上げていきたいと思うんですね。そこで共話というのは日本語の中で特に発達した文化なので、日本語を喋れる僕たちは今からすぐにでも使ってみられるわけです。それは全然大げさな話じゃない。

　たとえばＩＴ企業を通して世界を変えるみたいな話って、だいぶ時間が先に設定されるじゃないですか。だけどしゃべり方という日常のベースが変調することで、自分と他者の関係性が変わっていける。

　もしくは人間じゃないもの、たとえば発酵微生物の声に耳を傾けてみることで、自然との関係も変わる。TypeTraceは、テキストエディタとしては不便だし気恥ずかしいし時間もかかるけれども、だからこそ初めてわかる他者の潜在的な生命のプロセスに気付けるんです。目に見えないものを肌で感じ取れるような。

　その表現は、言葉を使ったものでもいいかもしれないし、言葉じゃないものでもいい。写真に撮って素材にして表現することもできるし、音楽にすることもできる。そういう小さい変化のテクニックを研究したいですね。

　テクノロジーという言葉を僕は最近あまり使わないようにしているんです。テクノロジーというと、あまり人間が関与してない気がしますよね。

それに対してテクニックは人間の体と直接的に関わっている。コンピューターを使ったテクニックもあるし、吃音という体を使ったテクニックもある。

　こういうテクニックをみんなで共有していくことによって実践的に「わかりあえなさ」を愛でていければいいなと思っています。

＊５　新型コロナウィルスの影響で延期となり、会期が２０２０年秋から２０２１年春に変更された。

第13話

聖霊とテクノロジー

初めてアフリカを意識したのはロサンゼルスだった。留学中、大学院の同じクラスにクリスという名前のナイジェリア人がいて、けっこう話すようになったのだ。彼はもうそのときは三十歳を過ぎていて、大学を出たばかりのクラスメートからは明らかに浮いていた。それで同じく三十過ぎの僕に興味を持ったのか。

クリスの話は、平和に育った僕にとって想像を絶していた。ナイジェリアで作家になり何冊か本を出したが、反政府的な演劇をやって捕まり、何年か刑務所に入れられていたこと。ようやく逃げ出したロンドンでは、なかなか芽が出ず、結局アメリカに来たこと。

反政府活動をやって逮捕されるなんて、国家公務員の息子である僕には驚きだった。そういうのってどんな感じなんだろう。クリスは普段もわりとむちゃくちゃだった。たまたま高速道路を間違って降りたメキシコ人街が気に入り、そのまま住み着いていた。近所の人たちが親切でいい、というのが理由だ。

そして自慢の、たぶん二十年は昔のＢＭＷを家の近くにいつも路上駐車していた。「俺は周囲の車がどこにいるかちゃんとわかるんだ」なんて言って、一般道でもやたらと飛ばす。地面が下り始める瞬間にちょっとだけ車体が宙を飛ぶくらいだ。助手席に乗せてもらった僕は、「もっとスピード落として！」と叫び続けた。

　とはいえわりと古風なところもあって、アメリカ人の挨拶の仕方はおかしい、とクリスは言う。目上の人に会っても頭を下げず、手をグッと出して握手、なんて失礼じゃないか。日本人みたいなこと言うなあ、と思って、もっとナイジェリアの文化について聞いてみた。

　会議は目上の人が上座について、年齢順に出口に向かって並んで座る。基本的には目上の人を立てる。「そんなの当たり前だろう」。聞けば聞くほど、アフリカではなく日本の話のように思えてくる。

　クリスと話すようになって、外国のイメージが自分の中で崩れていった。僕の中の外国とは、近代的で合理性を重視し、人と人の関係も基本的には対等で、誰がしゃべっているかより、議論の内容が問われる。

　でもそれはもしかしたらアメリカや西ヨーロッパの、ごくローカルな文化で、いや、そういう場所でさえ、対等な議論など大学などで通じる原理でしかない。それ以外の全世界は日本の伝統的な社会と同じような原理で運営されている。目上を立てるのは儒教文化のせいだけではないのだ。

そしてまた、アフリカのイメージも崩れ去った。自分の村に電気が来た日を覚えている、という、明治人みたいなクリスは、同時にデリダやクリステヴァなどのフランス思想を読み、現代小説のこともよく知っていて、パソコンでもなんでも使いこなす。

自分が教え込まれてきた外国とは、結局は西洋世界のことで、それは幕末の開国以来変わらず、そして自分もヨーロッパ人になったつもりで、アジアやアフリカの人々についてほとんど何も知らないのに見下している。

要するに僕も普通の日本人で、その普通の日本人らしい思い込みが、クリスと話していてガラガラと崩れていった。そして知らず知らずのうちに第三世界への差別が染み込んでいた自分を恥ずかしく思った。

クンレ・アフォラヤン監督の映画『モカリック　修理工とボクの一日』を見ると、クリスが言っていたことがよく分かる。学校の成績が振わない中学生が、金持ちの父親に連れてこられて自動車修理工場に一日見習いに入る。

ここでは先輩の意見が絶対で、中でも最も尊敬されているアジエンティナという老人には、地面に這いつくばるほどのお辞儀をしなくてはならない。彼は修理の天才で、西洋の人たちが直せず、スクラップとしてナイジェリアに輸入された車を一日で動かしてしまったほどの腕前だ。
主人公は整備、塗装、電装などさまざまな部門を巡るが、必ず問題を起こす。先輩が「世界で一番早くて丈夫な車はベンツだ」と言えば、彼は「ブガッティを知らないの」と返す。制御装置はコンピューターだと説明されると、「プレイステーションみたいなもんだね」と返す。

もちろん主人公の言葉はことごとく当たっている。だが中学生である彼がそんなことを知っているのは、父親の富に守られて育ったからだ。貧しい育ちから身を起こして一人前になろうとしている修理工たちは、自分の無知を指摘されてイラッとする。

けれども、徐々に修理工たちの姿に主人公は心を動かされ始める。修理工たちは貧しさに苦しみ、恋に葛藤し、将来に悩みながら、ちゃんとした親方になって独立したいと頑張っている。怒りや悲しみ、歓びの感情を彼らと共に味わうことで、主人公は心を開き始める。

主人公は今まで、学校でつまらない勉強ばかり詰め込まれて、何もやる気が起きなかった。でも修理工たちを見ながら、もう一度自分も頑張ってみよう、と思うようになる。

この映画では西洋式の学校教育とアフリカ式の弟子入りが対比されている。西洋式の教育を受けた主人公はとにかく言葉で言い返そうとする。もちろん議論には勝つが、勝っている間は周囲の人々から彼は学べない。

だが修理工たちに敬意を持ち始め、きちんと話を聞けるようになると、彼らも、真剣に仕事に取り組むことの大切さや、生きることの辛さ、仲間と乗り越えていく喜びなどを主人公に教えてくれる。つまりは敬意こそ、人が自分の殻を破る鍵となるのだ。

作品の舞台が自動車修理工場であることも重要である。修理工たちは多くの経験を積んだ叩き上げで、驚くほどの知識を持ち、時には西洋の人たちを、テクノロジーの領域でも凌いでしまう。しかもその学び方は独特だ。車の部品を人体の各部分にたとえながら、車が気持ちよく暮らせるように直す。まさに彼らは医者そのものだ。

クンレ・アフォラヤンはナイジェリアを代表する監督で、アフリカ映画アカデミー賞を獲得し、既に来日もしている。アフリカの映画というと遠い感じがするけど、まずは挨拶からとか、テクノロジーの極意は機械の身に寄り添うことだ、みたいな主題はすごく日本的な感じがする。

アフリカは日本と感覚が近いんじゃないか、という僕の仮説は、「世界文学を読む」という早稲田の授業でも裏付けられた。主に英語圏を中心に、南北アメリカ、インド、オセアニア、中東、アフリカなどの短編小説を半年かけて週替わりで読む。

僕は初め、カナダなど比較的、西洋的な国の作品のほうが学生たちのウケはいいのではないかと考えていた。明治以来、百五十年かけてヨーロッパやアメリカ文学が紹介されてきたのだから、そうなるのは当然だろう。

けれども結果はまったく違っていた。エジプトやモロッコの、ちょっとアラビアン・ナイトや童話みたいな作品や、ナイジェリアの聖霊が出てくるような短篇のほうがよっぽど人気があったのだ。これには驚いた。

たとえば、クリスと同じイボ族出身で、ナイジェリア文学を代表するチヌア・アチェベの短篇「犠牲の卵」はどうか。大都市に住む主人公は迷信は信じないと言いながら、その実、聖霊などの存在を完全に受け入れている。

市場が栄えているのは女神のおかげで、そこを歩く美しすぎる女性たちは川底に住む魔物だと彼は言い、夜に駆け回り疫病を運ぶ仮面の者たちを避けて、畑に身を隠し震えている。もっとも彼自身は自分が矛盾しているとは思っていない。女神も魔物も仮面もみんな実在しているのだから、迷信とは関係ないのだ。

彼の生き方は滑稽かもしれない。だがならば、科学しか信じないと言いながら神社に初詣に行き、お寺で葬式をしている日本人だって滑稽だろう。もし本当に聖なる存在を信じていないなら、そうした場所はどれもとっくに無くなっているはずではないか。

最後に、現代を感じさせるナイジェリア文学としてテジュ・コールの『オープン・シティ』（新潮社）を紹介しよう。ナイジェリア人の父とドイツ人の母を持つジュリアスは現在、ニューヨークで精神科医として働いている。

ナイジェリアに住んでいた頃は周囲に違和感を抱き続けていたが、アメリカでもそれは消えない。タクシー運転手にはアフリカ系同士の挨拶を欠いたと詰られる。だが自分はアフリカ系アメリカ人とは明らかに違う。

だからこそ彼は、自分と同じく居場所のない人々に惹かれる。日系人であるサイトウ教授は中世英文学専攻で、第二次世界大戦中はアイダホ州にあるミニドカ強制収容所に入れられていた。ジュリアスは彼から文学の手ほどきを受ける。「私は話を聴く技術を、そして省かれた事柄からひとつの物語を辿る力を教授から学んだ」（十三ページ）。

ジュリアスは旅先のベルギーで、モロッコ出身のファルークに出会う。ベンヤミンやマルクスを読む彼は、イスラム教徒を嫌う教授たちに大学での道を経たれた。失意の中、ネットカフェで働きながら、ファルークは自分が一人の人間として認められない現状について語る。「普通のアメリカ人は、ヨーロッパのムスリムがカフェでくつろいでビールを飲んだりマルボロを吸ったり政治哲学を議論している光景なんてたぶん想像しない」（一二八ページ）。すべてはステレオタイプに還元されてしまい、誰も他人が多様だなんて考えない。そしてイスラム教徒を一つの束として考えるようになれば、嫌ったり殺したりするのも簡単だ。

テジュ・コールはスタイリッシュな文章で、思想家や文学者、マーラーなどの音楽家について語りながら、同時に人々の置かれた現状を描写していく。情報が爆発する中でみんなが自分の殻に閉じこもり、他者への想像力を失って暴力的になるばかりだ。

だからこそ、文学の力を借りながらコールは強調する。人々をカテゴリーに分類して分かったつもりになるのを止めよう。むしろ一人一人に目を向けよう。「自分の苦しみに囚われすぎると他人も苦しんでいるということが見えなくなります」（一五四ページ）。そうだ。僕らには他者に目を向けることが必要なのだ。

第14話

空に書かれた名前

僕がアレハンドロ・ホドロフスキーの映画に出会ったのは二十歳のころで、付き合い始めた彼女と渋谷の映画館で『サンタ・サングレ』を見たときのことだった。もちろん男のズボンのチャックからアナコンダのような大蛇が飛び出すようなむちゃくちゃな作品で、彼女は「せっかくのデートなのに」と大いにガッカリしていた。

でも僕はシュールなものが好きだったから、勝手にとても楽しんだ。その後、彼女とは別れてしまったけど、ホドロフスキーへの関心は続いた。いや、そうでもないのかもしれない。なにしろ次に彼の作品を見たのはほんの最近のことだったから。

合計で四時間を越えるだろう『リアリティーのダンス』と『エンドレス・ポエトリー』を見ているあいだ、僕はまったく飽きなかった。大学生時代みたいに激しい細部に目を奪われるのではなく、その向こう側にあるホドロフスキーの悲しみがしっかり伝わってきたからだ。

『リアリティーのダンス』は一九二九年生まれの彼が、ボリビアに近いチリの街トコピージャから八歳で首都のサンティアゴに転居するまでを描き、『エンドレス・ポエトリー』はその後、成長して若き芸術家となった彼が二十四歳でチリを出てパリに移住するまでを扱っている。だからこの二作を見れば、ホドロフスキーの青春を観客も追体験できる。

だがもちろん彼のことだ。普通の作品にはなっていない。悲しみのあまり少年時代のアレハンドロが海に石を投げると、海が怒って大量の魚を岸に打ち上げる。母親はなぜか常にセリフをオペラのようにすべて歌で表現するし、路上では炭鉱でダイナマイトに手足を吹っ飛ばされた男たちが叫び、踊っている。

だがそうしたギミックは、いたずらに人を驚かせるために用いられているのではない。子供時代のアレハンドロが感じた悲しみや恐怖、不安を表現するための比喩として用いられているのだ。だから主人公の主観的には、これらは決してシュールではなく、むしろ正確な描写ということになる。

なぜそれほど彼は辛いのか。世界が理解できないからだ。そして世界が理解できない大きな理由は、抑圧的な父親がまったく愛してくれないからだ。父親に愛されようとして、アレハンドロは、男なら麻酔なしで歯の治療をしろ、といった父親の無理難題に答えようとする。それでも愛されないと、自分が悪かったのだと彼は思う。

だがもちろんそれはアレハンドロのせいではない。ウクライナ系ユダヤ人の移民である父は、幼い頃から常に差別されてきた。人に弱みを見せればナメられる。だからいつも強くいなければならない。感情を表に表してはならない。差別への対抗意識と中南米のマッチョ主義が混ざって、父親の中で息子への虐待的な教育が正義となってしまう。

だが感じやすく、人をすぐに好きになり、詩を愛するアレハンドロが父親の基準に沿えるわけもない。父親は息子を否定し、息子の愛する芸術を否定し、すぐに暴力を振るう。自分の思い通りにならないと逆上する。誰の意見も聞かず、誰にも共感しない。

もちろん父親はそんなふうに振る舞いながら、自らも孤独に苦しんでいる。大統領の馬の世話を任されるシーンで彼は、馬と触れ合いながら思う。こんなふうに愛されたことはなかった、自分は誰にも愛されなかった、汚いユダヤ人だとバカにされただけだ。

ということは父親もまた、その親からひどい扱いを受けて育ったのだろう。だがそれは、アレハンドロへの彼の態度を正当化しない。暴力の連鎖は、どこかで断ち切られなければならないのだ。店を手伝え、将来は医者になれ、と命令する父親に反抗するように、アレハンドロは父親がもっとも軽蔑する職業、すなわち詩人になることを選ぶ。

チリ大学を中退後、アレハンドロは前衛劇団を作り、俳優やダンサー、詩人などの仲間と暴れ回る。家にはめったに戻らず、戻ったとしても父親の溜め込んだ金を盗むためにだけだ。詩のわかる友人を得て、自らの才能を賞賛され、女を知る。けれども彼はやがて、行き詰まりを感じるようになる。

どんなに仲間内ではわかり合えても、ファシズムに傾くチリにおいて、自分たちは周囲から切り離された孤島でしかない。そんなことでこの国で芸術家として生きていけるのか。詩人としての父親代わりの存在、ニカノール・パラは言う。学位を取って教師になるんだ。だがアレハンドロはそんな選択はしたくない。ならばこの国を出るしかない。

この二作を見ると、第二次大戦前後におけるチリの状況や、芸術家になろうとする若者が必ずやくぐり抜けなければならない、食えないという恐怖がよく伝わっている。だが何といっても中心となるのは、自分を愛してくれなかった父親を許せるか、という問いかけだ。

パリに向かう波止場のシーンで、アレハンドロは引き留めにやってきた父親と格闘する。だがそこに現れた現在のホドロフスキーは、「そうではない。こうだ」と言い、二人を抱き合わせる。そして「愛さないことで愛の大切さを教えてくれた父よ、ありがとう」と語る。

それは少年時代から今に至るまで憎み、苦しみ抜いた末に、あれも父親なりの愛だったのだ、彼はそういうふうにしか愛せなかったのだ、と思う場面だ。このことで彼はようやく親を許せた。そして親不孝な自分自身も許せた。その許しに達するまで、というのが二本の映画のテーマで、ホドロフスキーの心の真実が観客の心も打つ。

面白いことに、チリ出身であるロベルト・ボラーニョの短編集、『売女の人殺し』（白水社）

にもホドロフスキーが出てくる。ただし極めつきの俗物としてだ。短編「ダンスカード」にこんな一節がある。「ニカノールがどこかへ行く途中に私の家に立ち寄ったこともある、と彼が言ったのを覚えている。僕はその言葉に、それ以来作家たちのほとんどに感じ取ることになるある種の子供っぽいプライドを嗅ぎとった」(二二八ページ)。

ネルーダと並んでチリを代表する詩人、ニカノール・パラがわざわざ自分の家に寄った、なんて話、ホドロフスキーならいかにもしそうだ。だがボラーニョ自身の長編『野生の探偵たち』(白水社)で、チリ出身の詩人ベラーノがメキシコシティで友人たちと作った「はらわたリアリズム」という詩の集団は『エンドレス・ポエトリー』の劇団と驚くほど似ている。

飲んだくれ、暴れ回り、自分たちこそが最高の詩人だと褒め合う。けれども仲間以外の誰も彼らを認めてくれない。ホドロフスキーの場合なら、やがて一人で外国に渡り、本物の芸術家になるだろう。だが「はらわたリアリズム」の面々は、ただ年を重ねるだけで何にもなれない。

彼らについて証言する一人が言う。「端的に言うと、最大の問題は、彼らのほとんどは二十歳を過ぎていたというのに、まるで十五歳にもならないみたいに振る舞っていたということだったの。そう思わない?」(上巻二三五ページ)。確かに、永遠に若くいることなどできはしない。

他の者は言う。「奴らを知り、奴らの話を注意深く聞くようになるにつれて、奴らのポーズはむしろ悲しいものに思えてきて、拒否反応を引き起こすようになるんだ。奴らは詩人ではなかった、それはたしかだ、革命家でもなかった」（下巻二一八ページ）。ホドロフスキー同様、ボラーニョもスペインで有名な作家となった。でもそれは五十歳で亡くなった彼の晩年、ほんの十年間のことで、彼の作品には志半ばで消えていった多くの者たちが息づいている。

ホドロフスキーは抑圧的な父親と戦い、抑圧的なファシスト政権と戦っていた。ピノチェト将軍によるクーデターでアジェンデ政権が崩壊し、そのとき政府に捕えられたボラーニョもまた、ファシストへの敵意をむき出しにする。

僕が好きなのは長篇『はるかな星』（白水社）で、主人公はアジェンデ政権時代、チリのコンセプシオンという街で若者ばかりの詩人のサークルに属している。そこには内気で控えめな青年ルイス゠タグレや、双子のガルメンディア姉妹がいる。

ルイス゠タグレのしゃべり方には特徴があった。「チリのある地域（物理的というよりむしろ精神的な場所）で話されるスペイン語、時間が流れていないように見える土地の言葉だ」（十三ページ）。あまりインテリではない青年が、詩に憧れてとつとつと話す声が聞こえてくるようだ。

そしてガルメンディア姉妹だ。彼女たちの家で夕食を食べながら主人公はこう思う。「突然、僕は幸せだ、とてつもなく幸せだと感じ、どんなことでもできそうな気がした」（二六ページ）。美しい姉妹は彼にとって憧れの的だった。世界がどんなにひどい場所でも、今この瞬間、彼は至福の時を味わう。

だがクーデターで事態は一変する。実はルイス＝タグレはスパイで、左翼の多いサークルを監視に来ていた軍人だった。彼はガルメンディア姉妹を殺し、殺人の過程を撮った写真を仲間に見せる。

それだけではない。刑務所内の広場で他の仲間と空を見上げる主人公の頭上で、飛行機に乗ったルイス＝タグレは飛行機雲で、自分が殺した女たちの名前を空に書き込むのだ。そうやって彼は死者たちと交信する。

約二十年の時が経ち、主人公はチリの金持ちが企てたルイス＝タグレ暗殺計画に加担する。君なら偽名を使っている彼が書いた詩を見分けられるだろう、というのが依頼の理由だ。ルイス＝タグレを憎みながら、同時に真の詩人だと信じる主人公は見事、彼の作品を見抜き、暗殺を成功させる。だが彼を殺したところで、死んだ仲間たちや自分の青春が戻ってくるわけもない。その後味は限りなく苦い。

政治的な立場は異なれど、一度は同じ夢を共有できた。ルイス＝タグレの才能を認めることで、主人公は彼と和解しようとしたのではないか。ただ憎み続けるだけの人生は辛すぎるのだから。

ボラーニョの作品には失われた時代へのノスタルジーと、どうしようもない悲しみがある。彼の言葉は、僕らの心の柔らかい部分を確実に揺さぶる。

あとがき

この数ヶ月、僕はほとんど誰にも会っていない。もちろんSARS-CoV-2（新型コロナウイルス）のせいである。直接対面するほぼすべての予定はキャンセルされ、大学の授業はすべてウエブに移行した。もちろんメディアを見れば常に大騒ぎである。しかしいったんテレビを消せば、いつもよりはるかに静かな日々が続いている。

人生初のこの事態に直面して、最初は不安や焦りがあった。なので石弘之『感染症の世界史』（角川文庫）やW・H・マクニール『疫病と世界史』（中公文庫）といった本を読み漁った。一ページめくるごとに心が鎮まっていく。その感覚が不思議だった。わかったのはこうだ。感染症について考えないで過ごせた時期は、人類の歴史では短い。むしろ人類は長いこと、ウイルスと共生してきた。だからウイルスからは距離を取り、ちゃんと衛生に気をつければいい。なにしろこれより困難な状況も人類は生き抜いてきたのだから。

コロナウイルスが明確にしたことは多い。たとえば僕ら人類は一つの種であり、生き延びるには連帯するしかない、といったことだ。人々は政治的立場で対立し、人種で分かれ、貧富の差で分断されている。けれども今や、憎み合い、軽蔑し合っている余裕などない。たとえば貧しい者たちの医療費を削れば、彼らの間で増殖したウイルスは大統領をも襲う。だからこそ、僕らには助け合うという選択肢以外あり得ない。イタリアの作家パオロ・ジョルダーノが『コロナ時代の僕ら』（早川書房）で言うように、今やもっとも利他的な振る舞いこそが自己をも救う。

　理論家スラヴォイ・ジジェクは『パンデミック』（Pヴァイン）でこう指摘している。イスラエルのネタニエフ首相は即座にパレスチナに支援を申し出た。「善意や人道的配慮からではない。単に、ユダヤ人とパレスチナ人を分けられないからである。一方がやられると、もう一方の犠牲も避けられない。これこそ、我々が政治に反映させるべき現実である」（一七ページ）。他者を虐げれば自分が死ぬ。ことここに至って初めて人類がこのことに気づいたとすれば悲しいが、気づいただけましだ。そしてこうした共生の思想こそ、ポストコロナの時代を築いていく基盤となるだろう。

　互いに会えない。今の状況を哲学者ジョルジョ・アガンベンはこう悲観的に語っている。「大学や学校がこれを限りと閉鎖され、授業がオンラインだけでおこなわれ、政治的もしくは文化的な話をする集会が中止され、デジタルなメッセージだけが交わされ」ると（「感染」『現代思想』二〇二〇年五月号十九ページ）。けれども僕の実感は逆だ。

ズームによる大学の授業には、イギリスやイタリア、アメリカなど世界に留学中の学生も参加し、時にバカ話など挟みながら、折れそうな心をしっかりと支え合っている。しかも一人になる時間が長い分、人として正しい振る舞いとは何か、自分にとって他者とは何かについて、だれもが深く考えている。一見悲観的な状況に光を見ること。もっともそれには、ある種の心のトレーニングが必要だが。

その点で、会わないでいることはお互いに対する敬意と配慮の表れそのものである、というジジェクの議論に僕は賛成だ。そもそも人間が起こした環境破壊のせいで、ウイルスはもともと宿主だった動物から人間の体へと移動してきた。そしてウイルスのおかげで、人類は共生へのレッスンを、そして他者への配慮を学びつつある。おそらく排除や暴力的なコントロールといった古い発想を、僕らは脱ぎ捨てるべき時なのだろう。

ウイルスのことなどまったく考えずに書き続けられてきたこの原稿を貫いている思考もまた、共生への試みである。偶然の出会いに満ちたページは一見、様々な方向を向きながらも、驚くほど同一のテーマを巡っている。教室で多様な声が響くにはどうすればいいのか。都市の、そして歴史の片隅でいないことになっている人々への視線はどうやったら獲得できるのか。

ほとんどその場の思いつきのように各主題は選ばれた。そして、即興的だからこそ得られる一貫性もあるのだと僕は気づいた。この本の企画を持ってきてくれた編集者の大久保潤さんにはお礼を言いたい。少々イカつい見た目とは裏腹に、丁寧な手紙で依頼をくれるなど、その配慮は常に繊細で的確だった。最後まで併走してくれて本当にありがとうございます。

そして各対談者のみなさん。深い見識と思いやりで、毎回僕を想像もつかない場所へと連れて行ってくれた。大変感謝しています。会場を提供してくれた神保町ブックセンター、イベントに来てくれた観客の方々にもお礼を言いたい。

この本の一部はcakesに発表された。有料サイトでの連載という新たな形を体験させてもらい感謝している。そしていつもどおり迷惑をかけてしまった家族に。本当にありがとう。

日も暮れてたった一人の早稲田大学研究室にて

二〇二〇年七月一六日　都甲幸治

ele-king books

世界文学の21世紀

2020年9月26日　初版印刷
2020年9月26日　初版発行

著者　都甲幸治
編集　大久保潤（Pヴァイン）
デザイン　戸塚泰雄（nu）

発行者　水谷聡男
発行所　株式会社Pヴァイン
〒150-0031　東京都渋谷区桜丘町21-2 池田ビル2F
編集部：TEL 03-5784-1256
営業部（レコード店）：TEL 03-5784-1250　FAX 03-5784-1251
http://p-vine.jp

発売元　日販アイ・ピー・エス株式会社
〒113-0034　東京都文京区湯島1-3-4
TEL 03-5802-1859　FAX 03-5802-1891

印刷・製本　シナノ印刷株式会社

ISBN　978-4-909483-67-6